D1530809

ANNA

LOUIS GAUTHIER

ANNA

LE CERCLE DU LIVRE DE FRANCE

8955 boulevard Saint-Laurent, Montréal 354

récit polymorphe en
33 chapitres avec
un prétexte et un
postexte.

Prétexte

ENNUIE

Anna ne pourra pas venir.

La maison, comme un visage, est triste tout à coup. Je me promène le long des murs blancs et nus, la lettre d'Anna à la main, le long des pièces qui s'étirent comme des corridors.

Ne m'attends pas. Je t'aime.

Anna

Comme un visage rendu maussade par l'imperceptible relâchement d'un muscle dont personne ne se soucie de savoir le nom, la maison tout à coup, par quelques mots tracés à l'encre verte sur un bout de papier bleu, est devenue aussi triste que moi. Comme si les murs savaient ce qui se passe, comme s'ils avaient des oreilles, — ou des yeux pour lire par-dessus mon épaule.

Je me promène comme une âme en peine, la lettre d'Anna à la main, le long des pièces longues et lumineuses de cette merveilleuse maison, le long des corridors coupés d'escaliers imprévus, faisant de chaque chambre un demi-étage, un quart d'étage, un huitième d'étage.

J'erre comme un corps en peine le long des murs blancs et nus, dans une merveilleuse maison que l'air, en se froissant comme une lettre annonçant une mauvaise nouvelle, a rendue plus vide qu'un cœur.

Des piments rouges et luisants pendent du plafond au bout de leurs ficelles blanches; dans des paniers de paille tressée suspendus à des crochets de fer noir, des fleurs se fanent à toute vitesse: Anna ne pourra pas venir.

Merveilleuse maison, merveilleux voyage, chaque pays a son bibelot, chaque continent sa couleur, chaque sentiment, chaque idée, chaque folie a sa consistance propre, son goût, son odeur. Merveilleuse maison qui n'est que l'empreinte de celle que j'y attends, et la géographie de son âme, reflet d'elle-même où sa tendresse est laineuse et son désir orange, son rire métallique et sa violence soudée, noircie et percée avec du feu. Et sa folie parfois c'est ce Bouddha de jade entouré de démons africains, et parfois cette flottille à voile venue des quatre coins des sept mers du monde se faire embouteiller sur les étagères libres de la bibliothèque. Et c'est aussi cette foule sans visage de chapeaux melon, de sombreros, de turbans, de képis, de fez, de casquettes, de bonnets à poil, de bérêts et de panamas, ou ces pipes de plâtre, d'écume de mer, de merisier, et les collections d'horloges, de boîtes vides et que sais-je encore.

J'erre comme un voyageur en peine entre cinq continents de désirs et ne trouve partout que l'absence, entre cent pays de tendresse et les murs blancs et nus qui écoutent battre mon cœur.

Je monte cinq marches et c'est la chambre à coucher, matelassée au complet, murs, plancher, plafond, et recouverte de tapis orange et de tapis blancs, épais, à longs poils, tendus comme des tapisseries ou déroulés sur le sol. Je m'étends sur le lit rond, matelas un peu plus épais, plus haut de six pouces que le plancher, comme elle l'avait voulu, comme j'avais toujours rêvé.

Pourquoi Anna ne vient-elle pas?

La maison s'est vidée de son sang, comme un cœur.

Ne m'attends pas. Je t'aime.

Anna

Anna que j'attendais.

Je pense: « Annanas pas pu venir ». Mais ça ne m'amuse pas.

Je pense à ses cheveux noirs et doux, et je retrouve leur odeur quelque part, nulle part, le souvenir de leur odeur.

Je pense à son curieux visage, asymétrique, sa lèvre un peu plus épaisse du côté droit, sa fossette unique, l'arc du sourcil gauche dont je ne saurais dire encore en quoi il diffère de l'autre, mais que je sais différent. J'essaie de voir son sourcil, et je me rends compte tout à coup que lorsque j'imagine son visage je ne le vois pas. Je ne me souviens d'elle que par une image brouillée qui disparaît dès que j'essaie d'en fixer un point. Je n'ai pas en moi une photo d'elle prête à surgir au moindre appel, une photo que je pourrais analyser, disséquer, regarder point par point. Et pourtant je connais bien son visage et le reconnaîtrais entre mille. Je connais bien son corps et sa taille souple. Je connais bien son corps et il m'échappe sans cesse au moment où je crois le tenir, et son visage m'échappe aussi avec un sourire, avec un sourire qui m'échappe . . .

Je me désespère, j'imagine à nouveau son visage. Je n'essaie pas de le saisir, je le laisse flotter vaguement devant moi, et je sens sa présence, je retrouve l'odeur de ses cheveux, l'odeur de son corps. Je me laisse bercer par sa présence, je vois et sens son corps chaud et brun. Je l'imagine si bien et si mal à la fois, que je me désespère de ne pouvoir le toucher, le caresser, si doux, si chaud, si bon . . .

Je m'ennuie, je m'ennuie . . .

1. Ma douche et ta bouche

Je m'ennuie.

. . .

Il faut que je pense à autre chose.

Je veux penser à autre chose.

Je vais penser à autre chose.

Je me secoue intérieurement. Je fais dans mon cerveau le geste de secouer la tête (je serais ridicule de le faire vraiment). Je m'ennuie, Anna. Pourquoi ne pourrais-je penser à autre chose, autre chose que ton visage, que ton absence qui me rend malheureux. Qui me rend malheureux justement parce que j'y pense.

Pourquoi ne pourrais-je penser à ce que je veux?

Qui est-ce qui pense ici, hmm?

EGO COGITO!

Ego est ejus cujus qui cogitentatum est, si ça peut t'intéresser, et ego cogito ego debendum est capere doucham, je n'ai pas appris le latin pour rien. Ego devrais prendre une douche, dis-je — rien de tel qu'une douche pour se changer les idées: on dirait que l'eau coule directement dans le cerveau et le nettoie, qu'elle huile les engrenages, règle l'arrivée des idées dans le cervelet et l'admission des impressions dans l'hypothalamus, ce qui est très important, quid est importantissimus.

Je vais prendre une douche.

Les serviettes sont dans la lingerie, à l'autre bout de ta merveilleuse maison, Anna, c'est trop loin, multo troppo, ablatif. Je vais continuer à m'ennuyer de toi, c'est moins fatigant. Mais je ne devrais pas rester couché. Ça me démoralise, je le sais. Je devrais voir des gens, mais il n'y a personne à voir à cent milles carrés à la ronde. Qu'est-ce que je vais faire?

Je m'ennuie . . .

Je devrais prendre une douche.

Pourquoi est-ce que je ne fais pas ce que je devrais faire?

Je ne devrais pas rester couché.

Pourquoi est-ce que je fais ce que je ne devrais pas faire?

Espèce de petit saint Augustin . . .

Anna mon chou, je m'ennuie. Je ne sais pas pourquoi, je ne sais pas de quoi, je m'ennuie de toi. Je ne sais pas de quoi en toi. Je me sens tendre pour toi, Anna-mon-chou, Anna-my-love. Je voudrais que tu sois ici.

> Pourquoi t'es pas là
> Anna
> Qu'est-ce qu'y a qui va pas
> Hein Anna
> Qu'est-ce qu'y a?
> On dirait qu'tu m'aim' pas
> J'aim' pas trop ça
> Etchétéra.

Je voudrais t'écrire une vraie chanson, une chanson douce, douce comme la pluie, la pluie heureuse, large, sûre. Sur la mer.

La mer de quoi, la mer de qui? La mer de Toukour.

Il pleut fort au large des côtes
Mais sur les tienn's ensoleillées
J'ai pas besoin de mon raincoat
Pourquoi m'habiller en pompier
Je m'étends et me fais griller
À ton feu comme une entrecôte
Et quand vient la marée montante
Je me transforme en côte flottante
Je ne crains que la mariée haute
Celle qui de vous s'amourache
Car tu sais bien que les marins
Se sentent le pied un peu moins
Solid' sur le plancher des vaches

LAVAGE DE CERVEAU

Encore une très jolie chanson, non? Très très très très poétique. Idiote aussi.

Bon. Prendre une douche, c'est la meilleure chose à faire.

Il faut que je prenne une douche

Il faudrait que je prenne une douche.

Je devrais prendre une douche.

Si je ne m'ennuyais pas tant, je prendrais une douche.

Anna, je m'ennuie.

Je m'ennuie, je m'ennuie, je m'ennuie, je m'ennuie, je m'ennuie, je m'ennuie, je m'ennuie, je m'ennuie, je m'ennuie, je m'ennuie, je m'ennuie, je m'ennuie, je

m'ennuie, je m'ennuie, je m'ennuie, je m'ennuie, je
m'ennuie, je m'ennuie, je m'ennuie, je m'ennuie, je
m'ennuie.

Anna.

Autre Chanson

Je m'ennuie, je m'ennuie (bis)
Je m'ennuie, je m'ennuie
Je m'ennuie, je m'ennuie (bis)
Je m'ennui-i-i-i-i-i-e

Tu n'aimes pas ça? Les rimes sont très riches pourtant. Des rimes Rothschild. Riches de signification. Riches de toi.

Pauvre de moi. À quoi ça rime tout ça . . .

•

Prendre ma douche.
J'y vais.
Toujours prêt.
Scout que scout.

•

LE PÉRILLEUX PÉRIPLE D'ALAIN L'APOSTAT, NAV
IGATEUR, ENTRE LA CHAMBREDANNA ET L'ALAINJR
IE, AVEC LA DESCRIPTION DE CE QU'IL VIT ET
UNE ÉTUDE AUTHENTIQUE DES MŒURS PITTORESQU
ES DES PITTORESQUES PEUPLADES AUTOCHETAUNES
QU'IL RENCONTRA, TEL QUE RAPPORTÉ DANS LE L
IVRE DE BORD DU TROIS-MÂTS « TÉTANOS », ET AC
COMPAGNÉ DE DEUX CARTES GÉOGRAPHIQUES DE LA
MAIN DE L'AUTEUR.

— pièce en un acte —

à GASPARD CORTEREAL
et à FERNAND CORTES

Au lever du rideau, j'avance à travers un fourmoie-
ment nébraleux de plantes d'espèces les plus divertes.
C'est une véritable brongle, toute enjouillée de ranches,
de bracines, de souichiannes. Il y a de nombreux arni-
maux et ils sont multifluorigènes. Le schpol est sermouru
de spites qui vont dans toutes les ridections. Les sterbues
s'entremêlent et s'enchervêtent sur le ciel écramuloré.

Je me taille un chemin au creux de cette forêt, parmi les anédancias rouges, les arcanepolas cramoisis, les
trapoleras farcenata pourpres, les lorgoda tranada vermillon, les sartenepas lapidernia écarlates, les trolocas fa-
gernada rouges, (dont les fruits sont rouge vif), les cale-
denia cramasorera rouge sang, les grama torusa écarlates, les rajenia mira rouge pivoine, les bomerfilia dardena
vermillon foncé, les tulipes rouges, les arkenida froles-
centa cramoisis, les turesa frana rouges comme des to-
matas, les portenia pourpres, et beaucoup d'autres encore,
comme les dromiga deresa rouges, les très très rouges
opinia cratera, et les orfenisia d'un beau rouge feu.

•

— PREMIÈRE CARTE GÉORAPHIQUE DE LA MAIN
DE L'AUTEUR —

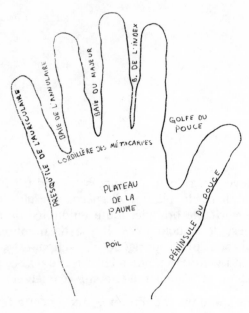

MAIN DE L'AUTEUR

Dans fe fardin merfeilleux, mon affenfion est affi-rée fouf à coup par feux magnififfes aftralaga fardeneba dont le roufe fermeil feinfé de pourpfe écarlafe franche sur les aufres planfes de ceffe nafure fauvage.

Mes yeux surpris et moi-même ne pouvons retenir quelques cris d'admiration:

MES YEUX SURPRIS: OH!

OH! OH! OH! OH!

OOOOOOOOOOOOOOOOOOOOOOOOOOOOOOOOOOOOOH!

oooooooooooooooooooooooooooooooooooooooooooooooooh:

oh!

OoooooOOOOOooooOOOoooOOOooOOooOooooOOOooOH!

ooOOOooOOooooOOOooooOOOoooOOOOooOOooooooOoh!

oh! oh!

OOOOOOOOH! ooooooooooooh! OOOOOOOOH!

oh!oh!oh!oh!oh!oh!oh!oh!oh!

OH!

oh!OH!oh!OH!oh!OH!oh!OH!

OH! oh!

•

— DEUXIÈME CARTE GÉOGRAPHIQUE DE LA MAIN DE L'AUTEUR —

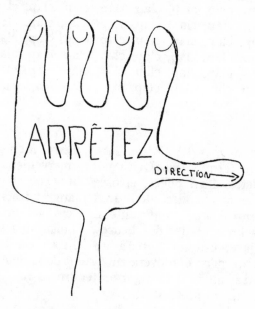

MOI-MÊME SURPRIS :   HO!

HoOoOoOoOoOoOoOoOoOoOoOoOoOoOoOoOo!

ho!

Je meurs, foudroyé. (Catégoriquement foudroyé, à bien y penser.)

— F I N —

Applaudissements soutenus, délire d'allégresse ou ovation, au choix.

Exemple :

clap, clap, clap, clap, clap, clap, clap, clap, clap, clap,
clap, clap, clap, clap, clap, clap, clap, clap, clap, clap,
clap, clap, clap, clap, clap, clap, clap, clap, clap, clap,
clap, clap, clap, clap, clap, clap, clap, clap, clap, clap,
clap, clap, clap, clap, clap, clap, clap, clap, clap, clap,
clap, clap, clap, clap, clap, clap, clap, clap, clap, clap,
clap, clap, clap, clap, clap, clap, clap, clap, clap, clap,
clap, clap, clap, clap, clap, clap, clap, clap, clap, clap.

Devant moi, l'Alainjrie. Terre! Terre! Mon périlleux périple se termine ici. La lingerie : merveilleux étalage de serviettes bien pliées, épaisses, moelleuses, tendres, aux couleurs chaudes sur le mur blanc et frais — vert forêt, brun écorce, jaune automne, orange serviette. Je pourrais les regarder des heures. Choisir une serviette, c'est déjà choisir un état d'âme, c'est choisir la qualité de bonheur qu'on éprouvera en sortant de la douche, c'est décider d'avance s'il sera gai ou tendre ou fou ou calme ou moqueur ou profond.

L'eau lave l'âme, la serviette la repeint. (C'est un proverbe). On peut choisir la nuance d'un sentiment à la teinte d'une serviette. On peut sortir de sa douche vert forêt, brun écorce, jaune automne ou orange serviette.

Je prends l'orange quelque chose, parce qu'elle est plus jaune que la brune, plus brune que la jaune, et beaucoup plus orange que la verte. J'aurai l'âme gaie et grave, tendre et folle. J'aurai l'âme bariolée.

Je reviens vers la douche.

Anna, je m'ennuie... Où es-tu Anna, que fais-tu, que dis-tu, à quoi penses-tu?

Je m'ennuie, Anna...

•

Prendre ta bouche.
Goûte que goûte.

•

2. Lolavlam

Quoi de plus beau, de plus propre, de plus pur
qu'une douche? Pas de fioritures, de garnitures, de sculp-
tures, d'appliques, de bas-reliefs, de rondes-bosses, de
meubles ou de tapis. Un cube, un simple cube, dans toute
sa pureté architecturale, sans détours, sans encoignures.
Un cube blanc de tuiles de céramique émaillée et luisante, sans tapisserie chaude et collante comme un vê-
tement, sans couleur offensante. Un pur cube lisse, où
rien n'accroche, imperméable comme le dos d'un canard,
nu comme une femme. Au milieu du plafond, la pomme
de douche, nickelée, chromée, astiquée, brillante comme
un fruit de cire, comme une pomme de cire bien frottée
et reluisante. Une lumière qui vient de nulle part et qui
est partout, qui rebondit partout, prisonnière de ce cube
d'où nulle fissure ne lui permet de s'écouler, si bien qu'à
force de toujours s'ajouter à elle-même, elle devient aveu-
glante, éblouissante, folle.

L'eau jaillit, comme une pluie chaude et puissante.
Je la sens peser sur mes épaules comme une présence,
comme si au lieu d'une cinquantaine de petits jets, il n'y
avait qu'une chose, l'eau, comme un tout, qui s'appuyait
sur moi.

Je me détends.

Je mets ma tête sous le jet, et c'est comme si l'eau
me lavait directement le cerveau, comme si j'avais eu
sur la tête une couche de poussière grise et épaisse qui
m'empêchait de respirer et qui s'en allait enfin. Je me
sens les idées nettes, la tête claire. Je ferme les yeux, je

mets mon visage sous la pluie, j'oublie, j'oublie tout ce qui n'est pas la présence immédiate de l'eau. Un nuage de vapeur monte autour de moi, se condense le long des murs et redescend en glissant sur la céramique comme une sueur froide. Je me bouche les oreilles avec les doigts pour entendre le bruit de l'eau comme s'il pleuvait dans ma tête.

Je me détends.

Mes muscles se relâchent un à un. Mes ressorts se décontractent. Je suis bien, bon, propre. J'ai envie de rire, je suis heureux comme un animal en santé. Lolavlam, lolavlam. Je sifflotte, j'ai envie de chanter, j'ai envie de jouer de la musique militaire, j'ai envie de marcher en cadence sur le plancher glissant de la douche.

LE CHŒUR

(recto tono, très rythmé, un-deux, un-deux, allons-y :)

An-na , An-na
An-na , An-na
An-na , An-na
An-na , An-na

(etc. etc.)

MOI

Anna, Anna, notre gloire
Je mang' des œufs au miroir
Anna, Anna, tes tiroirs
Nous mènent vers la victoire

premier couplet

Anna marchons vers des jours meilleurs
Le gazon est plus vert ailleurs
Anna allons et soyons sans peur
Et sans reproche et ta sœur

au refrain

deuxième couplet

Anna marchons nous avons du cœur
et du trèfle qui porte bonheur
Ça sent bon quand il est en fleur
Mais ça pourrait sentir meilleur

au refrain

SECTION .... HALT' !

Une-deux.

Je ferme la douche, je sors.

Il fait froid. Je suis bien, je respire par tous les pores de ma peau, et pas seulement avec mon nez, ce qui est probablement une invention intellectualiste ou platonicienne. Le nez est trop près du cervelet pour qu'il puisse bien respirer. Il faut apprendre à respirer avec ses mains, avec son ventre, ses cuisses, ses pieds.

Maintenant j'existe, c'est une merveilleuse sensation, un bien-être profond, réel. Je m'essuie en essayant de rester mouillé en dedans de ma peau, ce qui me paraît essentiel. Je me sens frais comme une feuille, plein de chlorophyle dans mon système sanguin. Je me sens aussi neuf, aussi vivant, aussi heureux que si j'avais vécu jusque-là au fond d'un aquarium en retenant mon souffle et que tout à coup je faisais surface. Je respire comme si personne avant moi n'avait respiré.

Si tu étais ici, Anna, nous lutterions ensemble, nous ferions un peu de boxe française en nous donnant de grands coups de pied à la figure, et ensuite nous jouerions aux cow-boys dans le grand salon. Nous nous cacherions derrière les meubles, nous courrions sur les fauteuils, nous nous balancerions après les tentures, nous ramperions sous les tapis, nous nous lancerions des coussins, nous nous casserions des bibelots sur la tête, nous nous barricaderions derrière les tables renversées, nous nous tirerions six balles avec chaque index, le pouce levé, nous nous toucherions au cœur ou au ventre, nous nous plierions en deux sous la douleur, nous nous accrocherions à tout ce qui nous tomberait sous la main et nous nous traînerions jusqu'au lit où nous nous étendrions en gémissant, le visage torturé par l'agonie, et nous éclaterions de rire et il serait temps d'ailleurs car nous n'en pourrions plus de nous retenir et nous nous aimerions et nous fêterions notre surplus d'énergie, Anna, et le plaisir de vivre sans raison, Anna, et l'innocence de notre jeu, Anna, si tu étais ici . . .

Si tu étais ici, si seulement tu étais ici . . .

Anna, ça y est, ça me reprend, je recommence à m'ennuyer. Je m'ennuie, je m'ennuie terriblement. Si seulement tu savais combien je m'ennuie, tu viendrais me voir et on s'ennuierait ensemble. Ce serait moins ennuyant. Viens, Anna, viens. J'adorerais jouer aux cow-boys avec toi.

Viens.

3. Tirade des brosses

Je m'habille et, nu-pieds, je vais au salon, j'installe
un disque sur le pick-up, (un disque gai, Anna, tu vois, je
fais des efforts pour me désennuyer), je m'asseois, je
fume, je pense à toi, je t'imagine, belle Anna, Anna heureuse, recroquevillée dans ton fauteuil en face de moi,
Anna boudeuse, Anna moqueuse, je m'ennuie de toi, je
joue avec mes orteils, je les étire, j'essaie de ramasser
un crayon par terre entre le pouce et l'index, ça me dis-
trait, ça m'occupe, je m'ennuie de ta présence chaude, de
ta voix, je ne comprends pas que nous soyons plus évolués
que le singe avec des pieds tellement moins perfection-
nés, il est vrai qu'ils ont permis la station verticale libé-
rant la main et permettant le développement de la technique, de l'art, de la parole, et de l'intelligence, entre
autres choses et etsétéra, j'aimerais t'entendre parler, répondre, rire, discuter pour rien, t'entendre dire que si
vraiment nous étions plus évolués que le singe, nous pourrions communiquer par télépathie, — je fais semblant
que nous communiquons par télépathie, je fais semblant
que je te vois même si je sais que je ne fais que t'imaginer, j'essaie de me convaincre que je te vois de mes yeux
vois ce qui s'appelle voir, que je te vois comme je suis là,
comme si tu étais ici ou comme si j'étais où tu es, j'aime
croire à la télépathie, au sort, au destin, quand ça m'arrange, comme on peut aimer croire en Dieu quand ça
nous arrange, je fais semblant que je me suis dédoublé,
que j'ai transporté mon corps près de toi, que tu me vois
et que tu m'entends, je me force à croire à mon men-
songe, je te suis des yeux, tu es sur le chemin du retour,
je te vois, malgré moi je te fais marcher plus vite dans

mon esprit que tu ne peux aller en réalité, tu tournes déjà le coin de la rue, tu es heureuse et tu souris car tu t'imagines que tu vas me surprendre, tu t'imagines que je ne t'attends pas, Anna, mais je t'attends car je sais que tu t'en viens et que tu viens de tourner le coin de la rue, que tu suis l'allée bordée d'arbres, je te vois regarder la maison en t'approchant pour voir si je ne t'observe pas, mais je n'ai pas besoin d'être à la fenêtre pour t'observer, je te vois dans ma tête simplement parce que je veux te voir, parce que je le veux de toutes mes forces, et je me prépare à te dire que je t'ai observée tout le temps, je me prépare à te l'expliquer parce que je sais que tu ne me croiras pas, parce que toi tu n'as pas besoin de croire à l'intuition ou à la télépathie pour te donner un espoir qui comble ton attente, je te vois maintenant qui t'approches du perron, je me prépare à me lever pour aller répondre à ton coup de sonnette, tu montes les marches, en courant comme tu le fais toujours, tu regardes par le coin de la fenêtre mais je suis de dos, je ne me retourne pas car je veux te surprendre aussi, et parce que j'ai trop peur que ce ne soit pas vrai, que tu ne sois pas là, que la télépathie soit une fausse science, une fausse puissance, j'attends que tu sonnes maintenant, tu dois sonner maintenant, tu ne peux pas attendre plus longtemps sur le perron, je ne peux plus t'imaginer sur le perron, il faut que tu sonnes, sinon je serai obligé d'admettre que je me suis trompé, j'ai trop peur de m'être trompé, il faut que tu sonnes, tu vas sonner, je meurs de hâte, de crainte, d'espérance, de foi, de charité, tu vas sonner, tu vas sonner . . .

Tu as sonné!

C'est vrai!

C'est vrai, tu as sonné, j'ai entendu! C'est merveilleux! Ce n'est pas une hallucination, c'est toi pour vrai!

Ce n'est pas mon imagination, j'en suis certain, tu as
sonné! J'ai entendu! La télépathie a fonctionné! Je t'ai
vue venir à distance! J'ai su à l'avance que tu allais sonner! Point d'exclamation!

Maintenant que le miracle est accompli, que le pro-
dige s'est réalisé, je ne veux plus y croire, j'ai peur d'y
croire, je crains encore plus d'être déçu. Ce n'est pas toi,
c'est impossible, c'est peut-être un vendeur qui, juste
au moment où ... une coïncidence ... une coïncidence
ne sonne pas aux portes ... Anna ... j'ai tant de choses
à te dire, je me suis tant ennuyé ...

Je vais répondre, il faut que j'aille répondre tout de
même. Je me lève. Je me sens mal, Anna, je ne sais plus
quoi penser, qui encourager, non, ce n'est pas toi, oui,
c'est toi, non, tu n'as pas pu venir, tu me l'as dit dans ta
lettre, tu as pu changer d'idée, c'est un vendeur, c'est toi,
je prépare à tout t'expliquer, tout ce qui se passait
dans ma tête pendant que j'allais te répondre, je me
prépare à être déçu et je cherche des excuses pour m'être
ainsi laissé prendre à espérer l'impossible comme un enfant, je fais semblant que je n'y crois pas pour me garder
une porte de sortie, je fais semblant d'y croire parce
qu'en n'y croyant pas je crains de briser le charme qui
t'a transportée jusqu'ici, je ne sais plus où donner de la
tête, je me précipite vers la porte, je me lève calmement,
je marche lentement, mon cœur bat, je cours ...

DES BROSSES DES BROSSES DES BROSSES QU'EST-
CE QUE VOUS VOULEZ QUE J'EN FASSE DE VOS
BROSSES MOI DES BROSSES IL Y EN A DÉJÀ PAR-
TOUT DES BROSSES PARTOUT JE VOUS DIS PAR-
TOUT PARTOUT PARTOUT PARTOUT PARTOUT.

plein les murs accrochées au plafond
partout dans notre maison
tapis-brosses sur les planchers
bross' pour les ongl' et pour le nez
brosse à abus, brosse à habits
bross' du dimanche et bross' du vendredi
bross' pour le dehors, bross' pour le dedans
brosse à dent et bross' d'Adam

T
I
R
A
D
E

brosse à rebrousse-poil
pour chiens policiers
pour brosser le poêle
brosse à poil d'acier
bross' pour les cheveux
et cheveux en **brosse**
pour tous les neveux
d'la fée Carabrosse

D
E
S

brosse américaine
bross' pour la bedaine
bross' d'or bross' d'argent
bross des villes et bross' des champs

B
R
O
S
S
E
S

bross' pour écrire, bross' pour danser
bross' qui fait rire ou qui fait pleurer
bross' de chameaux et de dromadaires
bross' pour brosser les grands lampadaires
bross' à moto, brosse à moteur
bross' pour frapper à grands coups les vendeurs
brosse à cheval, à pied, en voiture
brosse en bateau à voile pour villégiature
brosse à souvenirs, brosse à illusions
bross' pour les sciences, bross' des mathématiques
bross' post conciliair' pour les hérétiques
brosse avec miroir pour les caméléons.
brosse à cirer les souliers
brosse à polir les bébés

brosse à laver les planchers
brosse à fair' reluir' les pieds

T   bross' pour les défunts qui veulent pourrir
I   bross' à blanchir les sourires
R   brosse électrique, brosse à vapeur
A   bross' pour le saut en hauteur
D   brosse à pattes, brosse à roues
E   la bross' qui flotte, la bross' qui coud
D   brosse à nettoyer pour les lieux d'aisance
E   brosse hygiénique pour limiter les naissances
S   brosse à ci et brosse à ça
    et patati et patata
B   bross pour les couci-couça
R
O   brosse érotiqu', brosse à pathos
S   la bross' qui sert à brosser les brosses
S

E   E N V O I
S   bross' à rien, brosse à parler chinois
    la meilleure brosse, la bross' des rois
    la bross' qui fait n'importe quoi.

ou, en d'autres mots:

NOUS N'AVONS PAS BESOIN DE BROSSES POUR LE
MOMENT MERCI

4. Leitmotiv

Anna, je m'ennuie.

C'est ma devise, Anna, le thème auquel je reviens après toutes mes variations, comme toi tu es au centre de toute ma vie quelles que soient mes autres occupations, comme un fil d'Ariane qui seul me permet de me retrouver en moi.

Anna, je m'ennuie.

J'aurais tant voulu que ce fût toi, au lieu de ce vendeur, tantôt.

Anna, pourquoi n'es-tu pas venue? Je t'appelle, je t'attends: viens. Rien ne m'amuse sans toi, Anna, rien n'est drôle, tout m'ennuie. Comment veux-tu que je vive sans rire, Anna?

Anna, je te le déclare solennellement:

SANS TOI, LA VIE NE VAUT PAS D'ÊTRE VÉCUE.
SANS TOI, LA VIE COMMENCE À QUARANTE ANS.

J'ai vingt ans, Anna, n'attends pas, viens. Viens dans mon labyrinthe, je te ferai voir ma collection de timbres. Viens, toi seule me comprends, me connais, toi seule sais le sens des mots que j'emploie, toi seule parles la même langue que moi, avec le même dictionnaire, la même Académie pour reviser le mot amour tous les jours et lui trouver un sens nouveau chaque fois, la même grammaire pour accorder le verbe aimer toujours au présent, les mêmes règles de phonétique pour le murmurer, le chuchoter, le caresser, le répéter infiniment.

Toi seule vis dans le même monde que moi, Anna, toi seule, étrangère comme moi, à deux nous sommes un pays, à deux nous l'habitons, nous le nommons, nous établissons sa géographie et sa carte du Tendre.

Anna, je m'ennuie . . .

Je ne peux pas vivre sans respirer, sans boire, sans manger, sans dormir, sans toi.

Viens Anna, viens.

Viens sans parler, sans bouger, sans changer, je te reconnaîtrai comme un grand vent chaud dont l'air est enfin respirable; viens, offerte, présente, avec ton corps de chair, ton parfum, le bruit de ton pas, le geste de la main qui n'appartient qu'à toi.

Viens, je te devinerai comme une énigme, énigmatique Anna.

Viens, nous serons un nouveau mystère, une seule nature en deux personnes, une nouvelle espèce, une nouvelle unité, une nouvelle réconciliation.

Viens, je m'ennuie, Anna.

Viens, je te chanterai des hosannas et nous serons au plus haut des cieux.

Viens, tu t'étendras près de moi et je te conterai des histoires, des histoires pour toi, pour toi toute seule, Anna, des histoires comme ça:

5. Une histoire pour Anna

LA SANGSUE ALITÉE

— conte moral —

Il était une fois, Anna, un gros méchant microbe beaucoup plus gros que ça. Il était aussi très méchant et il se ressemblait beaucoup; par exemple, il avait deux ou trois yeux bleus et les autres verts, et quand il ouvrait la bouche ses yeux se fermaient par un ingénieux mécanisme, et il trouvait que cet ingénieux mécanisme n'était pas commode du tout. Mais comme il était gros et méchant, ça ne lui faisait rien parce qu'il ne parlait à personne, mais ce n'était pas commode quand même, d'autant moins qu'il n'avait absolument aucun pied.

ANNA: Est-ce qu'il avait des cheveux, le gros microbe?

Non, Anna, le gros microbe avait la tête nue, nue comme toi tu es toute nue quand tu es toute nue, mais il n'était pas beau comme toi parce qu'il était très laid et que toi tu es terriblement belle. Alors un matin le gros microbe se leva du mauvais côté du ventre, parce qu'il n'avait pas de pied, et il était de très mauvaise humeur parce qu'il faisait beau et il était encore plus méchant que d'habitude. Alors il se dit en se frottant les mains intérieurement dans sa tête, parce qu'il n'avait pas de mains non plus, alors il se dit: « Je vais aller microber quelqu'un. »

ANNA: Qu'est-ce que ça veut dire, microber?

Microber, Anna, je suis très très très très content que tu me le demandes parce que c'est un mot très important et je ne sais pas non plus ce qu'il veut dire. Mais comme je t'aime ça n'a vraiment aucune importance, alors le gros microbe ça ne lui faisait rien non plus, et il se mit à chercher son fusil microbateur partout en disant toutes sortes de vilains mots et quand il l'eût trouvé, il sortit de son repaire de gros microbe et il alla dehors. Et dehors il y avait le soleil qui se promenait de long en large avec son grand parapluie parce que le diable lui avait dit qu'il avait envie de manger des crêpes, alors le soleil avait pris ses précautions et aussi son imperméable et il était très gai et il chantait. Et tu sais ce qu'il chantait le soleil?

ANNA: Au clair de la lune?

Non, il chantait que tu avais de belles épaules et que je t'aimais plus que tout au monde, alors le gros microbe n'était pas content, mais il vit une petite sangsue très méchante aussi qui essayait de manger le soleil en le grignotant tout autour parce qu'elle ne l'aimait pas. Alors le gros microbe éclata d'un rire méphistophélique bête comme ses pieds et il

ANNA: Qu'est-ce que ça veut dire, méfistoflic?

Méphistophélique? Ça veut dire bête comme ses pieds.

ANNA: Pourquoi le dis-tu deux fois alors?

Parce qu'il était deux fois bête comme ses pieds. Alors il dit:

ANNA: Oui, mais il n'avait pas de pieds . . .

Ça ne fait rien, ça n'a pas d'importance.

ANNA: Ah . . .

Donc il éclata d'un rire méphistophélique bête comme ses pieds, et il dit: « Ha! Ha! Ha! Petite sangsue. Attends, je vais t'aider », et il prit son microbateur et il tira dans l'œil du soleil et le soleil lui tomba dans l'œil et il devint un bon microbe très gentil avec les petits garçons et les petites filles.

ANNA: Et la sangsue?

La sangsue, Anna d'amour, le soleil lui donna un coup de soleil en plein cœur alors elle fut malade et elle alla se coucher et ça a fait la sangsue alitée. Mais comme le microbe était devenu un bon microbe, il la soigna gentiment et lui donna des bains de soleil et elle devint une belle sangsue alitée pleine de vie et de bonheur et elle se maria et eut de nombreux amants.

ANNA: Et la morale, c'est quoi?

Il n'y en a pas.

ANNA: Mais tu avais dit en commençant...

Oui, Anna, mais je m'étais trompé.

ANNA: Alors j'aime mieux le Petit Poucet.

Moi aussi, Anna.

6. Midi

Ça y est, il est midi. Midday. Une demi-journée sans toi, alors qu'il ne m'en reste peut-être que deux à vivre, et au maximum 18,300 environ. Un beau gaspillage.

Midi, ici, il faut être fou pour avoir inventé ça; et il faut être fou pour le supporter. Je t'y reconnais bien.

Midi, ici, c'est d'abord le coucou qui sort son sale bec de son « Authentique-horloge-sculptée-à-la-main-porte-bonheur-de-la-Forêt-Noire. » Porte-bonheur, j'aurais préféré quant à moi te voir entrer par la grande porte que de voir cet espèce d'oiseau sortir par la sienne petite, et sentir tes mains se poser sur mes yeux et t'entendre demander en changeant ta voix: « Coucou, qui est là? ». L'autre est stupide: « coucou-coucou-coucou-coucou », ce n'est pas une façon de vivre, ça; ce n'est pas une façon de gagner son pain à la sueur de son front. Avec son éternel sourire bienveillant d'oiseau qui en sait plus long que les autres . . .

Et toi tu fais semblant d'être amoureuse de lui, tu t'approches de sa boîte à surprise à midi moins une, tu lui fais des clins d'œil quand il sort, tu lui réponds par des roulades. Tu veux même transformer son mécanisme pour qu'il chante « cocu-cocu-cocu-cocu ». Tu veux me rendre jaloux. Je m'en fous, je lui fais des grimaces, je lui tire la langue. J'ai bien envie de l'empêcher de sortir de sa cabane avec mon pouce pour l'entendre marmonner « mpmmmcoupmmmcoumpmmmcoumpcoum ». Je m'arme de patience en attendant le jour où je pourrai m'armer d'une flèche silencieuse et sûre, et je pratique

en secret avec ma cible « Oeil-de-Fauxcon » en tôle émaillée. Je crois que d'ici quelques semaines, si je continue
à progresser au même rythme, on pourra manger du
steak de coucou chanceux.

Mais ce qui m'inquiète, c'est que tu n'as pas borné
ta stupidité à ce sale animal, et que trois minutes plus
tard il recommence à être midi pour la magnifique horloge en plastique que tu as posée bien en vue dans l'entrée,
et qui imite à s'y méprendre les cloches de Rome, de Big
Ben ou de Walt Disney, je ne sais plus, dans un carillon
aussi triomphal qu'insupportable. Je ne te surprendrai
pas, je pense, en t'avouant sincèrement que je te trouve
complètement folle d'avoir acheté ça. Je croyais jusque-
là que le mauvais goût avait certaines limites, et que
passé un certain degré la laideur devenait évidente; je te
remercie mille fois de m'avoir démontré le contraire, mon
expérience humaine s'en trouve étonnamment enrichie.
Pour le moment, j'ajouterai que j'hésite seulement entre
le bélier mécanique et le marteau-pilon pour nous débarrasser de cette horreur et me rendre la vie à nouveau
supportable, et que si . . .

Mais il est midi cinq, et donc midi pour le coucou
numéro deux, à l'autre bout de la maison, de l'autre côté
du Greenwich de la salle de bains, et dont tu as réglé
le retard aux rendez-vous du numéro un avec une pré-
cision digne de la grande tradition suisse. Toujours aussi
fidèle bien que n'ayant jamais obtenu de réponse du
No. 1, le No. 2 conserve sans doute un espoir secret au
fond du cœur pour revenir ainsi le harceler de ses avan-
ces (ou plutôt de ses retards) avec une constance digne
de notre admiration. S'il ne porte pas bonheur, s'il ne
coucoute pas aussi bien, au moins n'apparaît-il pas à l'im-
proviste avec sa figure de commis-voyageur réjoui pour
raconter avec la même belle bonne humeur et les mêmes

intonations la même histoire drôle déjà moins drôle que la dernière fois.

Midi six. Midi six, heure de l'horloge grand-père, solennelle, classique et majestueuse. Pas excitée comme tes coucous qui donnent toujours l'impression de sonner midi pour la première fois de leur vie. On sent qu'elle en a déjà vu d'autres : quelques minutes de retard, à son âge, ne l'inquiètent plus ; elle ne va pas risquer une maladie de cœur pour arriver à l'heure chez le médecin. Elle s'approche sans presser le pas, sa canne martelant régulièrement le plancher, et prend bien son temps pour laisser tomber ses douze coups tranquilles qui résonnent longuement dans la maison vide . . .

. . . et je me rends compte, Anna, que la maison est vide, que les sons vibrent comme dans une pièce dont on aurait enlevé tous les meubles pour un déménagement, avec une résonance étrangère, inédite, comme dans un grand hall surchauffé où tout à coup il n'y aurait plus personne, où je commence à avoir froid dans le dos, comme dans une chambre d'hôtel où l'acoustique n'a pas le temps de s'habituer aux nouveaux timbres de voix et, au lieu de les absorber, les laisse flotter entre les murs nus, se mêler avec les voix fantômes de ceux qui avant moi n'ont fait que passer, comme dans une salle d'attente, longue et sombre, une salle d'attente que le dernier train vient de quitter, où nul train ne reviendra plus, une salle d'attente abandonnée où je suis abandonné, où il n'y a rien à attendre, où je suis seul avec une valise trop lourde qui contient toute ma vie, tous mes souvenirs et ce que j'ai aimé, une valise dont j'étale le contenu autour de moi sur le sol froid, en pleurant de n'avoir gardé que cela de chaque ville visitée . . .

J'ai peur d'être seul, Anna, j'ai peur que la ville soit déserte, que le train ait disparu, que le maître d'hôtel

soit sourd ou muet, qu'il ne comprenne pas ce que je lui
demande, qu'il s'imagine que je suis un voleur, un escroc,
un espion. Les policiers arrivent et ils ne parlent que le
turc avec un accent hongrois, et l'interprète est un impos-
teur à moustaches qui fait semblant de traduire, mais
qui en réalité invente tout ce qu'il dit sans rien comprendre de ce que je lui explique, en se contentant de parler
longtemps si je parle longtemps et de répondre brièvement si je réponds brièvement. Je me fâche en voyant
qu'il ne comprend rien, qu'il ne parle pas français et que
tout le monde a confiance en lui. Je m'indigne, je crie,
mais lui reste calme, il traduit ma colère par des menaces
et des insultes à l'endroit de leur Empereur, je le vois bien
au regard foudroyant que me jette le chef de police archi-
décoré. L'empereur, je m'en fous, ce que je veux c'est
qu'on me comprenne, je veux m'expliquer, je n'ai rien
fait. Le chef fait signe à ses hommes de m'emmener. Je
veux m'enfuir, courir vers le consulat, je bondis vers la
porte. J'entends des cris derrière moi, un coup de feu.
Je cours sans me retourner. Je prends la première rue
transversale. Je cours au hasard, je ne connais pas cette
ville. Des enfants jouent sur le trottoir. Ils sont laids, ils
ont de petits visages rabougris, comme de vieux singes, et
ils n'ont pas dix ans. Ils me font des crocs-en-jambes en
riant méchamment. Je tombe à plat ventre.

   La rue n'est pas asphaltée, elle est en grosses
pierres arrondies par l'usure. Je les vois de tout près, elles
sont bleues et grises, très douces à regarder, avec des
creux d'ombre noire, et parfois un peu de terre s'est logée
dans une fissure et un brin d'herbe pousse dans cette
terre. J'aurais envie de rester là, mais il faut que je continue. Je lève péniblement la tête: devant moi la rue est
fermée par une clôture de bois, et sur cette clôture une
affiche est collée, une photographie immense en brun
et beige d'une jeune fille, une Japonaise je crois, étendue

presque nue sur un plancher de marbre, le visage tourné vers moi, et qui me regarde en souriant. J'ai envie de rire et de pleurer en même temps, j'ai envie de ne plus bouger, jamais, de rester là, toujours. Je n'ai plus la force de remuer, pas même la force de relever une mèche de cheveux qui tombe sur mon œil et à travers laquelle son sourire devient de plus en plus attendrissant.

Mais ils m'ont rejoint et me remettent sur mes pieds. Je suis sale et je saigne au-dessus de l'œil gauche. Je veux me laisser tomber, mais ils me rattrapent et m'empoignent, ce sont des militaires maintenant, casqués et armés de mitraillettes, qui m'entraînent à travers la ville. J'ai peur, je crie, je me débats, mais ils me tiennent et me tirent de force. Tout est désert, vide, mort, sauf quelques vieilles aux fenêtres, derrière des rideaux jaunis qu'elles écartent de la main, quelques vieux assis sur des balcons, très très haut, au dixième étage peut-être, mais dont je vois très bien la figure et qui ricanent en me regardant. On me traîne toujours, on me pousse dans le dos avec le canon court des mitraillettes. Une femme vêtue de noir passe à côté de nous dans une Cadillac blanche, à toute vitesse, en soulevant un nuage de poussière qui m'étouffe, et à la radio de l'auto les Beatles jouent « I'm down ».

La ville s'est arrêtée brusquement, nous voilà dans un terrain vague, jonché de vieilles carcasses d'autos, de tanks, de moteurs d'avions, ici et là, parmi le foin court et brûlé. Le soleil est aveuglant et pourtant le sol est couvert d'ombres, et je frissonne, j'ai peur, j'ai peur . . .

À midi huit, consciencieusement, la petite boîte à musique montée sur un mouvement d'horlogerie, vient me rappeler que pour elle il est midi, et que c'est toi, Anna, qui l'as voulu, en réglant son mécanisme avec huit minutes de retard. Et je suis très heureux de cette boîte à musique, j'ai envie de la caresser comme on caresse un animal familier qui, content d'être apprécié, remue la queue au rythme d'un allegro intérieur. Do mi ré mi mi sol fa do, les notes métalliques, aigrelettes, maigrelettes, rassurantes, chantonnent encore un peu, remplies de ta tendresse, avant le déclic qui tout à coup fait place au silence.

Au silence.

7. Recette pour passer le temps

Midi dix. Il faut manger. Je n'ai pas faim, mais manger est une belle et nécessaire occupation. « On mange pour vivre, on ne vit pas pour manger ». « Pensez aux petits Chinois qui sont en Chine ».

La cuisine est propre et claire et gaie et invitante. Elle est aussi à deux ou trois milles du salon, selon les plans ingénieux de mon architecte Anna, pour qui une maison doit être amusante avant d'être fonctionnelle. Tant pis, je prends mon chandail, au cas où l'hiver me surprendrait en route, et j'y vais. (Généralement, quand l'hiver vous surprend en route et que vous avez un chandail, il n'insiste pas, car il a l'impression que vous n'êtes pas surpris et cela le déçoit).

Je n'ai jamais aimé cuisiner, mais j'ai toujours aimé me préparer un bon :

STEAK À L'ORANGE

Pour réussir ce plat, vous avez besoin des ingrédients suivants :

1 - un bon morceau de steak
2 - beurre, sel, poivre, etc.
3 - une orange

Préparation : Sortir le steak du réfrigérateur et le déposer à côté du poêle avec les autres ingrédients.

Regarder pendant dix minutes (10) à 180° degrés
(plus ou moins selon votre champ de vision).
Puis, vous demander par où il faut commencer
et si cela en vaut la peine. Prendre l'orange, la
peler et aller s'asseoir confortablement. Demander doucement et timidement à Anna si elle vou-
drait bien vous faire un bon steak s'il-vous-plaît,
et manger l'orange comme apéritif.

Si cette recette ne réussit pas, si Anna est absente
par exemple, il vous reste le choix entre La Loco-
motive à la Vapeur, le Chapitre Sauté par Erreur
et les Petites Économies Flambées en deux Jours,
trois bons plats vite préparés et fort nourrissants.

Anna, je m'ennuie . . .

Comment m'amuser, sans toi?

Je vais dresser la table pour deux. Je ferai semblant
de te parler et tu feras semblant de me répondre. Nous
ferons semblant de rire ensemble, comme les autres jours,
les vrais jours, lorsque tu es là.

Je dépose le chandelier à trois branches sur la nappe bleue à côté des fleurs sauvages. Nous prendrons du
vin, Anna, je suis si triste, je boirai ton verre aussi, comme dans cette histoire où quelqu'un prenait toujours une
consommation pour son ami mort et . . . j'ai oublié la
fin, comment c'était . . . un jour son ami avait cessé de
boire . . . ou lui . . . ou quelque chose comme ça. Pas
très drôle en tout cas, je ne sais plus. Et puis nous man-
gerons du pain et du fromage et du pâté de foie gras, c'est
moins compliqué, et c'est bon, c'est beau surtout, du vin,
des fleurs, manger du pain avec du fromage, c'est comme
si c'était l'été, au bord de l'eau. C'est comme s'asseoir
sur une belle chaise qui n'est pas confortable; on la regarde, on la touche, on la caresse, on ne se repose pas

mais on est heureux. On ne se nourrit pas, mais on est heureux, je ne sais pas, on ne le ferait pas tous les jours, mais une fois en passant...

Regarde: maintenant la table ne tient plus que sur deux pattes, ses deux pattes de derrière: c'est signe qu'elle est bien dressée. Je vais aller m'engager chez Barnomme et Bêlé, j'ai toujours rêvé de vivre dans un cirque:

— la grande tente (ou mieux, le Grand Chapiteau)
— la-piste-sablonneuse-et-dorée-sous-le-feu-des-projecteurs
— la lumière qui ruisselle sur les costumes pailletés des trapézistes
— les-clowns-qui-amusent-les-enfants-par-leurs-pitreries
— les enfants dont les yeux brillent de joie
— les cris les rires les applaudissements de la foule à qui la magie du cirque a apporté un peu de bonheur enfantin
— la foule heureuse qui se disperse dans la nuit pendant que nous nous affairons à tout démonter
— pour rouler, dans la nuit toujours, vers un autre village, avec nos lions et nos chiens savants, vers ailleurs, toujours vers ailleurs, pour apporter un peu de joie
— et, j'allais l'oublier, le clown que sa femme trompe avec l'homme fort et qui sous son sourire peint a envie de pleurer
— Ah! Le cirque!...

Mais je pense aux petits Chinois qui sont en Chine et qui n'ont pas de cirque, pauvres petits communistes toujours à la merci des missionnaires. Y penses-tu Anna? Sérieusement, avons-nous le droit de ne pas y penser, toujours? (C'est notre mauvaise conscience bourgeoise, n'est-ce pas?) Avons-nous le droit d'être heureux alors que . . .

Je ne suis pas heureux, Anna, nous ne sommes jamais heureux parce que nous désirons toujours autre chose et que (je vais te dire quelque chose de profond) dans l'ordre du désir, tout fuit en avant. Le bonheur n'est pas dans la possession de quelque chose, il est à l'intérieur de nous-mêmes.

Je ne suis pas heureux, Anna, je ne suis ni mal, ni heureux: je suis malheureux. Je suis heureux de t'avoir, de savoir que tu vas revenir ce soir, demain au plus tard, je devrais rire, chanter, ou bien danser maintenant. Mais je suis bête, je reste là à ne rien faire, à penser à toi, à tout ce que je pourrais faire, à toi, à tout ce que je devrais faire; je reste là à me prouver mon ennui, à le ressasser, à le raffiner, à en savourer la quintessence — ce n'est pas la meilleure façon d'en sortir. Pourquoi est-ce que je fais cela, Anna? Tu serais la première à me le reprocher. Je m'ennuie parce que je veux m'ennuyer, parce que je ne veux pas m'en tirer. Je m'ennuie parce que je ne fais rien et je ne fais rien parce que je m'ennuie . . . On ne sort d'un cercle vicieux qu'en sautant à pieds joints: pourquoi est-ce que je ne ris pas, que je ne chante pas, que je ne parle pas, même?

Je vais te faire un discours, Anna, un discours improvisé. Un discours à l'emporte-pièce.

L'emporte-quoi?

Pièce.

Quelle pièce?

Je suis Monsieur le Très Honorable et Très Distingué Président d'Horreur. Devant moi s'étend à perte de vue (ou presque) une grande table en fer à cheval, et dans l'espace qu'elle délimite une plus petite en trèfle à quatre feuilles à l'intérieur de laquelle on en découvre une autre en patte de lapin. Le Tout-Quelque-Chose est là, sérieux et élégant comme il sait l'être dans les grandes occasions, et le moment est venu pour moi de prononcer quelques mots dits de circonstance.

Je me lève.

(Ta chaise me regarde, étonnée).

Mesdames,

Mesdemoiselles,

Messieurs,

Mes très chers meubles,

Mon cher chandelier,

Si nous sommes réunis zici ze zoir, et vous n'en doutez pas, j'ose l'espérer, c'est pour une raison à la fois fort simple et fort compliquée, et par là même très ambiguë, pour ne pas dire paradoxale ou contradictoire, ou encore, c'est le seul mot qui me vienne à l'esprit, inanimée.

L'un d'entre vous me disait tantôt sa surprise de lire sur tous les visages et entre toutes les lignes, ce mélange de tristesse et de bonheur qui cadre mal avec cette pièce qui a connu tant de jours zheureux et vu si peu de larmes.

(Le pot à fleur, qui n'a rien compris, applaudit frénétiquement).

Si peu de larmes zen effet, et tant de jours zheureux! Ah! Que de joyeux souvenirs! sont éparpillés! zici
et là! tels des parpillons murticolores! fichés dans le fond
cartonné d'un casier transparent! au moyen d'une épingle qui leur crève le cœur, et à moi zaussi!

Et qui nous dira si ces petites bêtes! dans leur joie
de vivre! dans leur gaieté de voleter zici et là! n'avaient
pas zune âme! qui, grand bien leur fasse et Dieu soit
loué! Dieu soit loué! Béni soit son saint nom! Béni soit
son saint nom, une âme qui est partie depuis lors errer
dans les limbes lépidoptériennes!!!!

Oui, Mesdames et Messieurs, oui, vous tousse, Four-
chettes, Couteaux, Cuillers, Couvées, vous tousse, prolé-
taires de mon dentier, unissez-vous! Croissez et multi-
pliez! Additionnez et soustrayez! Allez, tels des coureurs
de Marathon, porter la Bonne Nouvelle de l'Aurore du
Grand Soir Bleu-Blanc-Rouge and Stars Spangled Banner
Stars and Stripes-Tease Forever tant qu'il y en aura, et
s'il n'en reste qu'un je serai celui-là! Votre patrie vous
zen sera reconnaissante, et votre mal de dents n'en sera
pas guéri pour autant! Qu'importe, Mesdames et Messieurs, qu'importe!

(Le pot à fleur, qui décidemment ne comprend rien,
applaudit encore, imité en cela par le sucrier).

Qu'importe!
(Nouveaux applaudissements).

Peu nous chaut!

Car nous savons bien, nous tousse qui sommes zici
ze zoir, qu'il ne s'agit pas tant de sacrifier sa vie que de
l'immoler sur l'autel sacré du devoir, pour que d'elle
monte un encens en odeur de sainteté, qui s'élève calmement à travers la tempête de ce monde dans un verre
d'eau jusqu'au bonheur des cieux inclusivement.

(La porte entre bâiller et ressort).

Enfin, qu'il me soit permis de lever mon verre reconnaissant et incassable en un geste unanime, et d'y tremper mes lèvres préalablement vêtues du bikini imperméable de la fraternité universelle, et l'œil encore humide des larmes de . . .

Je bois, Anna, tu peux enlever tes mains de sur tes oreilles. D'ailleurs mon discours est fini. Je m'ennuie trop. Au début, ça allait bien, mais maintenant ça ne m'amuse plus. J'ai beau me forcer, tout cela sonne faux. Ma voix se brise sur les murs de la pièce et retombe en miettes sur le plancher, vide, vaine, en faisant un petit toc sec.

Tu n'es pas là, Anna, rien n'est pareil, ni les bruits, ni les choses, ni . . . rien, rien.

8. Vivre est une nécessité vitale

Pourquoi n'es-tu pas là, Anna, ne viens-tu pas?

Ne m'attends pas. Je t'aime.

Anna

Mais comment pourrais-je ne pas t'attendre, Anna?

Je t'avais déjà attendue bien longtemps, depuis le premier jour où je t'ai imaginée, avant le premier jour où je t'ai reconnue.

Pourquoi ne pourrais-je te garder toujours?

Qu'y a-t-il de plus important que d'être toi près de moi, moi près de toi, sans rien dire, à s'aimer? Qu'avons-nous d'autre à faire, Anna, qu'es-tu allée chercher ailleurs qu'ici? Pourquoi sacrifier cette journée, cette heure, cette minute de plus où nous aurions pu être heureux, et qui est maintenant irrémédiablement perdue? Ne la regretterons-nous pas, Anna, cette journée, le jour du dernier jour, cette heure, à la dernière heure, cette minute aussi?

Pense, Anna, pense qu'on nous séparera un jour, un dernier jour, malgré nous; et nous serons complètement impuissants, nous ne pourrons que regarder sans rien faire ce qui se fera invinciblement contre nous, définitivement, pour la dernière fois, le dernier regard, la dernière parole que nous prononcerons, Anna, la dernière respiration, le dernier battement de notre cœur, pourquoi celui-là plutôt que le suivant, que le suivant, et sans y rien pouvoir, y rien vouloir, contre nous, sans la moindre raison, dans la plus absurde cruauté, le dernier serrement de main, malgré nous, malgré tout ce qu'il y avait d'infini en nous, dans nos promesses, notre bonheur, tout à coup, affreusement, une sorte de dernier hoquet, notre gorge serrée de désespoir, ne rien pouvoir y faire, stupidement, contre toute notre volonté tendue à craquer, contre toute logique, une dernière convulsion, laide, si laide, mesquine, et puis rien, rien, RIEN, Anna, crie Anna, crie qu'il n'y a plus rien, absurdement plus rien, crie qu'il n'y a plus rien, pour que nous soyons rassasiés au moins de notre désespoir, de notre crainte, de notre peur, de notre solitude, de notre destruction, crie-le pour que cela cesse d'être ce poids insupportable, irréfutable, pour que nous puissions respirer à nouveau, que notre cœur se détende, que notre sang vienne battre à notre cerveau et apaiser peu à peu notre chair, que nos muscles se desserrent peu à peu et relâchent l'étreinte de notre dernier soubresaut.

Pardonne-moi, Anna, de penser à cela, mais j'ai si peur, si peur de te perdre et la terre avec toi. Parfois j'aurais envie d'être franc, c'est le seul mot que je trouve, de ne plus être mesquin, de jouer le jeu même de la vie. Je voudrais que nous choisissions nous-mêmes de partir, au moment où nous serions le plus heureux, que nous décidions que tout est bien et qu'il est temps que nous cédions la place. Je voudrais que nous partions sans nous accrocher à la dernière petite parcelle d'air respirable, à la dernière petite goutte de vie, avec l'air de deux avares qui trouvent que l'on n'a pas été assez généreux avec eux, alors qu'on ne leur devait rien.

Car on ne nous devait rien, Anna, on nous a tout donné, et notre chair, et notre sang, et notre joie, on nous

a tout donné sans mesurer, sans lésiner, sans tenir de
compte minutieux, et nous trouvons que ce n'est pas
assez.

Nous n'avions rien et on nous a donné un soleil merveilleux, de grands champs pour dormir comme des lé-
zards, des sous-bois frais et orangés à l'automne, des
corps chauds, souples, élastiques. Mais ce n'est pas ce
que nous voulions. Nous voulions un nez plus court, des
cheveux plus doux, de petites ailes dans le dos, et puis
nous n'aimons ni les jours de pluie, ni l'odeur des tulipes,
ni le vent du Nord, ni la forme des serpents, ni l'eau froide, ni la sueur, ni les mouches, ni les marais, ni les grandes distances, ni les épinards. Nous voudrions tout refaire
à notre goût, et une fois tout refait, nous voudrions que
cela dure toujours. Nous ne sommes jamais satisfaits,
nous n'en avons jamais assez, nous désirons toujours
autre chose. Nous ne savons pas nous contenter, nous
trouvons toujours à redire.

Parfois je pense que nous devrions avoir honte. Si
nous étions honnêtes, nous serions fous de joie, nous
lancerions l'argent par les fenêtres, nous embrasserions
toutes les filles que nous rencontrerions, nous ferions
tout ce qui nous passerait par la tête, nous brûlerions la
chandelle par les deux bouts, et quand ce serait fini, nous
dirions: « Merci, je me suis bien amusé », et nous par-
tirions.

Au lieu de nous imaginer que nous avons des droits,
alors que nous n'en avons aucun, nous saurions que nous
avons seulement le devoir d'être heureux et de montrer
que nous le sommes, d'être poli et de partir à temps.

La vie est une fête, Anna, mais je crains que nous
manquions de savoir-vivre.

Un matin, Anna, nous pourrions nous lever tôt. Il
fait soleil dans la chambre, nous avons bien dormi, tout
est à la fois tiède et frais autour de nous. Tiède comme
les draps blancs et froissés du lit, frais comme la lumière
douce du petit jour à travers les rideaux transparents.
Nous nous levons et nous nous regardons, et dès ce regard nous nous sommes compris. Nous n'avons jamais
été si heureux. Tu chantes en préparant le déjeuner, et je
te regarde, et je me rends compte du bonheur profond
qu'il y a à t'avoir près de moi, incomparable Anna. Le
café est chaud et nous sentons sa chaleur dans la paume
de nos mains à travers la porcelaine épaisse de nos tasses
fumantes. En nous regardant par-dessus la table, par-
dessus les fleurs sur la table, à travers les fleurs et leur
feuillage vert et glacé, nous buvons, et nos yeux rient
par-dessus le bord de la tasse qui vient s'appuyer sur
notre nez. Pendant que tu te coiffes devant le miroir ovale,
je sors de la voiture les deux carabines que nous avions
achetées déjà chez un armurier amoureux qui caressait
leurs crosses polies, leurs canons froids et luisants. Tu
viens me rejoindre et nous partons à travers les champs
blonds derrière la maison, l'un près de l'autre à nous
toucher, sans nous toucher. Nous marchons longtemps,
très longtemps en silence. Des oiseaux parfois lèvent
sous nos pas. Le soleil monte à notre droite, de plus en
plus chaud. Nous avançons d'un pas égal. Je suce un brin
de foin entre mes dents, tu as mis une marguerite dans
le canon de ta carabine. Nous nous regardons parfois,
un sourire dans les yeux, tremblants de bonheur. Nous
arrêtons à l'orée du bois, il n'y a plus maintenant derrière
nous que des champs à perte de vue. Nous avons faim
et nous mangeons un peu, et nous buvons du vin blanc
clair comme tes yeux. Et puis nous nous embrassons, du
bout des lèvres, presque timidement. Lentement, sous
le soleil aveuglant maintenant, nous nous éloignons l'un

de l'autre. À vingt pas nous nous arrêtons, nous nous retournons, nous élevons notre fusil jusqu'à notre œil, nous

Anna, cela est beau, tomber sous le soleil avec une petite tache rouge au front, presque invisible et qui sèche tout de suite, et les cigales qui chantent tout autour, mais c'est aussi impossible. Je me vois m'éloigner de toi et je reviens dans tes bras en courant. Vivre, cela ne nous lâche pas.

Vivre, Anna, est une nécessité vitale.

Ne rions pas, c'est peut-être le dernier mot de notre préoccupation.

9. From London Angleterre

Ne rions pas, ou rions quand même. Ce dîner est bien sérieux, et je suis surpris que tu n'aies pas encore profité de mon inattention pour mettre du sucre dans ma soupe, de la moutarde sur mon pain, du sel dans mon café, et de l'eau dans mon vin.

Je m'éveille à ton absence tout à coup par l'absence de tes gamineries. Tu sais rire sans raison, Anna, et à contretemps, et cela me plaît. Il faut se dépêcher d'en rire avant que d'en pleurer; il faut se dépêcher de rire avant de devenir sérieux, juste avant que les drames ne se mettent à éclater comme des pétards, juste avant que l'on échange des serments éternels et des anneaux, avant que l'on dise toujours et jamais, avant que l'amour ne devienne ridicule.

Quand je pense à toi, à toi absente, je deviens sérieux et malheureux; mais tu m'apparais tout à coup et je vois que tu as un sourire dans l'œil, que tu te moques de moi et de ma tristesse, de mon prétendu malheur et de ma soi-disant solitude, et je suis un instant tout heureux de voir que ta folie et ton envie de rire me rattachent à terre, me font retomber sur mes deux pieds. Mais dès que je recommence à être heureux, toi tu recommences à me manquer, car tu n'es pas là pour me donner la réplique, pour jouer l'autre partie de mon amour. Et tu t'effaces, tu t'embrouilles, tu te dilues, et je ne peux être plus malheureux. Et malheureux, tu m'apparais à nouveau, et je joue constamment entre mon bonheur et ma tristesse.

Et tu dis pourtant que j'ai le vin gai.

Chassons ces mauvais anges, Anna, en débarrassant la table, mon ange.

« From London Angleterre, le grand Allan va vous performer son tout dernier tour de magie, un tour dont il a déjà présenté devant la reine d'Angleterre elle-même en personne, et qu'elle en fut très impressionnée. Mesdames et Messieurs, Ladies and Gentlemen, le prodigieux, l'extraordinaire, le fantastique, le fabuleux, le Grand Allan ! »

(Musique).

Le Grand Allan s'approche de la table sous les applaudissements de la foule. Insensible à ce qui l'entoure, l'œil fixe et noir sous le sourcil épais et froncé sous lequel la paupière à demi-fermée se crispe ne laissant filtrer entre les cils qu'un sombre regard d'airain rempli de force où se concentre toute son énergie, (regarde mon œil, Anna), le grand Allan, mains tendues devant lui, s'approche de la table, s'empare de deux coins de la nappe, (roulement de tambour), et, l'œil étincelant et fauve sous le sourcil comme tout à l'heure, il prononce la formule magique qu'il tient du grand Brahma Supérieur lui-même, et d'un coup sec, il tire de toutes ses forces sur la nappe et,

et,

et,

enfin, ça n'a pas très bien marché, mais la coutellerie ce n'est pas tellement grave et je n'ai cassé qu'un vieux cendrier, et l'eau va sécher toute seule, et puis errare humanum est, le Grand Allan n'était pas en forme aujourd'hui, il se reprendra un autre jour, il n'y a pas de

mais non ! la foule proteste ! Anna réclame le remboursement de son billet, menaçante, tenant à la main un couteau qu'elle a ramassé sur le plancher, l'œil sombre et laissant filtrer sous la paupière baissée la prunelle étincelante et noire toute remplie d'une rage intérieure, elle s'approche du Grand Allan, que va-t-il se passer?

Rien, rien, Mesdames et Messieurs, le petit Allan contrit promet de ne plus jamais recommencer et de laver la vaisselle tout seul et de tout mettre en ordre et d'être toujours gentil gentil et poli poli et de dire bonjourmonsieur bonjourmadame et de ne pas taper du pied et de bien étudier ses leçons et d'être sage en classe et de mettre sa chambre en ordre et de dire silvouplaît et merci et d'embrasser ses vieilles tantes qui piquent et de ne pas arracher de fleurs et de ne plus dire câliss de tabarnak devant monsieur le curé.

10. Leitmotiv

Je m'ennuie de toi.
J'ai envie de toi.
Dépêche-toi. Viens.

Viens.

Je ne fais rien de bon sans toi.

Sans toi je ne puis rien.
Je me sens inutile.

Tu es mon but dans l'existence,
mon horizon,
le pays que j'habite.

Comme un exilé, je te cherche.

Le temps s'arrête quand tu n'es pas là.
Comme un autobus.

J'ai l'impression de marcher sur place.
Je piétine.

Tout me paraît vide.
La nature a horreur du vide.

Ma vie n'a plus de sens.
etc., etc.,

Je n'ai envie de rien que de toi.

Ma vie n'a plus d'essence.   Comme un autobus.
Je n'avance à rien.

Je marche dans une rue sans issue. Un sens unique.

Je suis un mort vivant.
Je suis de trop.
Je suis là.
L'enfer c'est les autres.

       Il n'y a pas de bonheur sans toi.
       À quoi me sert de vivre?

D'où venons-nous?
Où allons-nous?
Qui suis-je?
Que sais-je?
Que dois-je?
Qu'ai-je à espérer?

            Comme un moteur qui tourne à vide.

Tu es ma seule raison de vivre.   Déraisonnablement.

Comme un jour
sans soleil.

Je ne peux concevoir la vie sans toi.   Évidemment.

       Il me manque la moitié de mon âme.
       Ma douce moitié.

       Je n'ai plus de force.

Tu es ma sève
   mon sol
   ma pluie.   etc.
                                etc.
                                etc.

Je perds tout espoir – je perds courage – je perds la tête.

       Le temps est immobile.
       Je t'attends.
       Viens.

Le silence envahit tout.
Comme un cœur qui s'arrête.
Viens.

Etchétéra.
Etchétéra.
Etchétéra.
Etchétéra.
Etchétéra.
Etchétéra.
Etchétéra.

11. Dik-syo-nèr'

Et toi?

Et toi dans tout ça?

Que fais-tu, que deviens-tu, où es-tu, que dis-tu, à quoi penses-tu?

Qu'as-tu à espérer? J'essaie de faire semblant de désirer que tu t'amuses sans moi, mais au fond je voudrais que tu t'ennuies autant que moi et que tu reviennes. À toute allure.

Toit. Toit. Toit. Toit. Toit. Toit. Toit.

Toi.

Toi, ton, ta, tes, tontaine et tonton. Bonbaine et bonbon. Concaine et concon. Dondaine et dondon. Fonfaine et fonfon. Gongaine et gongon. Jonjaine et jonjon. Lonlaine et lonlon. Monmaine et monmon. Nonnaine et nonnon. Ponpaine et ponpon.

Ponpon, ça s'écrit po*m*pon. À cause du « p », je suppose. Sais-tu ce que c'est qu'un pompon, Anna? C'est une petite houppe de soie, de laine, etc., dont on orne les coiffures militaires, les ajustements féminins, les galons pour meubles etc. J'ai regardé dans le dictionnaire. Et un ajustement, c'est une parure. C'est dans le dictionnaire aussi. Oui, oui. J'ai regardé. J'aime beaucoup chercher des mots dans le dictionnaire; ce n'est pas difficile à trouver, il y en a beaucoup. Il n'y a presque que cela. C'est merveilleux un dictionnaire.

N'est-ce pas?

AH! Comme on a raison, au collège, de nous conseiller l'usage du dictionnaire! Quoi de plus magnifique qu'un dictionnaire! Quelle rigueur merveilleuse! Quelle patience de la part de ses trop méconnus auteurs! Nous n'y penserons jamais trop! Ni même assez!

Prions pour que les âmes de ces zélés missionnaires reposent en paix!

Viens! Anna! Viens! Ne nous lassons jamais d'interroger le dictionnaire, de le feuilleter, de le parcourir en tous sens! Ah! Que de questions il soulève, que de problèmes il résoud!

Anna! Ne pourrions-nous pas, ne devrions-nous pas élever un autel au centre du salon, (pas un hôtel, idiote, un autel), avec dessus le dictionnaire comme missel, et chaque matin, d'une voix chevrotante, nous en lirions quelques extraits, recto tono, en baissant d'un demi-ton sur l'avant-dernière syllabe de chaque phrase, et d'un ton entier sur la dernière que nous prolongerions d'un temps!

Comme ce serait beau, Anna! Et nous mêlerions à ces récitatifs des chants à la louange de Monsieur Larousse, Quillet-aux-cieux, assurément.

Installé devant ce livre épais — et poussiéreux, hélas! — quelle tendresse me sens-je pour lui tout à coup! Je le soulève doucement, je regarde avec amour ces lettres incrustées en or sur le bleu pâle de la couverture: Larousse Classique Illustré. Que n'en avons-nous acheté un plus gros, Anna, un plus complet, un plus luxueux, un plus digne en somme du rôle qu'il doit jouer! Un beau orange pâle, avec à chaque lettre un demi-cercle découpé à même la tranche, et dans l'ombre duquel se détache tantôt une consonne, tantôt une voyelle, sur laquelle se pose l'index rassuré qui, du premier coup, ouvre à la

section qu'il désire. Un beau, plein d'illustrations poly-
chromes sur papier glacé, représentant les principales
espèces de poissons, de plantes, les armes à feu, l'histoire
du costume, celle de la marine, les différents sports, les
grandes œuvres d'art!

Mais le modèle compact que nous possédons, tout
simple, sans apprêt, est quand même attachant dans son
dénuement. La couverture à demi décollée, les feuilles
qui s'arrachent par paquets, les coins racornis, s'ils n'ont
pas la splendeur des objets précieux, ont la dignité res-
pectable des meubles anciens et frustres qui ont servi
bien des générations. Et l'absence d'un index facile à
consulter permet au moins de prolonger les rencontres, le
livre s'ouvrant au hasard à un mot qui renvoie à un
autre, puis à un autre, pendant que l'on rêve à des milliers de choses qui autrement ne nous seraient jamais
venues à l'esprit . . .

OH! Anna! Dira-t-on jamais à quels sommets peut
élever la lecture du petit Larousse Classique Illustré, à
quelles extases mystiques il peut conduire! Dira-t-on jamais quelles pensées profondes il inspire! Moi-même,
même moi-même, qui ne suis qu'un pauvre profane, un
pauvre catéchumène, déjà je sens fourmiller en ma tête
des réflexions dont jamais je ne l'aurais crue capable.

Que ne veux-je savoir! Les questions se bousculent:
quel est le premier mot du dictionnaire et quel est le dernier? quel fut le premier défini? le nom de l'auteur du
dictionnaire est-il dans le dictionnaire? s'y est-il mis lui-
même? quel mot étudie actuellement l'Académie Française? si je regarde un mot, puis un mot de ceux qui le
définissent, et ainsi de suite, ne ferai-je pas le tour du
dictionnaire pour revenir au mot dont je suis parti, par-
courant ainsi le cercle éternel de l'univers?

Et tout à coup un horrible soupçon m'envahit: si chaque mot est défini par d'autres mots, eux-mêmes définis par d'autres et finalement par les premiers, si tous les mots en somme se définissent les uns par les autres, ne sommes-nous pas dans une sorte d'immense, de monstrueux cercle vicieux?

Mais je ne veux pas le croire, j'ai foi en mon dictionnaire, en cet effort acharné d'un homme luttant jour après jour et gagnant pouce après pouce, syllabe après syllabe, le terrain vierge de l'indéfini, la jungle vague et tourmentée de l'inclassé — et je chasse les pensées perverses de mon esprit.

Et puis sans plus attendre, Anna, j'ouvre le Livre, le Grand Livre:

> MAMAMOUCHI: n.m. Nom donné par Molière, dans le Bourgeois Gentilhomme, à une prétendue dignité turque de son invention.

C'est merveilleux, Anna! Je n'aurais même pas cru que ce mot existât. M a m a m o u c h i. Tu peux être fière de moi, Anna, maintenant je sais beaucoup de choses, des choses que tout le monde ne sait pas.

Et dans la même page, comme si nous pouvions encore ne pas être satisfaits, il y a:

> MALVOISIE (zi): n.f. ou m. Vin grec, remarquable pour sa douceur. (Il est fourni en partie par la presqu'île grecque de Malvoisie).

M a l v o i s i e. Tu as remarqué: masculin ou féminin. Un mot hermaphrodite. Un homotsexuel.

Et il y a encore:

> MANCENILLE: (niy') n.f. Fruit du mancenillier, qui ressemble à une petite pomme d'api.

On aurait envie d'en manger, Anna.

MANCENILLIER: (ni-lyé) n.m. (de l'espagnol
« manzanilla », petite pomme). Arbre de la famille des euphorbiacées, originaire des Antilles
et de l'Amérique équatoriale, dit arbre-poison,
arbre de mort. (Il secrète un suc caustique et
très vénéneux).

Tu vois, de l'espagnol m a n z a n i l l a. Nous allons
apprendre l'espagnol en même temps. C'est extraordinaire. Et si jamais nous allons aux Antilles ou en Amérique équatoriale, ils pourront toujours courir avant de
nous faire manger des mancenilles. Nous ne sommes pas
des imbéciles et nous le leur montrerons. Nous saurons
même ce que c'est que des euphorbiacées.

EUPHORBIACÉES: (sé) n.f.pl. Famille de dycotylé-
dones, qui a l'euphorbe pour type.

Tu veux savoir quel genre de type c'est?

EUPHORBE: n.f. (de Euphorbe, médecin). Genre
d'euphorbiacées à latex blanc, de tous les pays
du monde: la résine d'euphorbe est purgative.

On distingue les résines célestes, les résines purgati-
ves et les résines infernales, comme tu sais.

Je cherchais dicotylédones et regarde sur quoi je
suis tombé:

COUCI-COUCI: loc. adv. (ital. cosi, cosi — ainsi,
ainsi). Ni bien, ni mal: Comment vous portez-
vous? — Couci-couci. (On dit faussement couci-
couça).

Nous allons apprendre aussi l'italien! C o s i, c o s i.
Ne sommes-nous pas déjà beaucoup plus instruits que la
moyenne des gens, Anna? Et nous ne faisons que com-

mencer: imagine dans dix ou quinze ans. Maintenant, je cherche dictionnaire:

DICTIONNAIRE: (dik-syo-nèr'). n.m. Recueil par ordre alphabétique ou autre, des mots d'une langue, avec leur explication: lexique, vocabulaire, glossaire.

C'est un mot très difficile à prononcer: dik-syo-nèr'. Surtout l'apostrophe. Jusqu'ici je n'y faisais pas attention, mais à l'avenir, je le saurai.

Et le nom de Monsieur Larousse est-il dans le dictionnaire?

LAROUSSE (Pierre Petit Classique dit l'Illustré), grammairien et lexicographe français né à Toucy (Yonne) (1817-1875). Il composa d'abord la Lexicologie des Écoles, dont la publication inaugura de nouvelles méthodes dans l'enseignement de la grammaire: il publia « l'École Normale », journal d'enseignement, puis entreprit la rédaction du Grand Dictionnaire Universel du XIXe siècle.

Cher Pierre! En 58 ans! Quelle vie bien remplie! Si j'avais cette patience, que ne pourrais-je faire? Je crois que je commencerais, Anna, par une étude du style de Pierre Larousse. Ce serait passionnant. Ou par une thèse sur « La conception laroussienne de l'amour ».

AMOUR: n.m. (lat. amor de amare, aimer). Sentiment par lequel le cœur se porte vers ce qui lui plaît fortement: amour de la patrie.

Anna, tu me plais fortement. Mon cœur se porte vers toi. Je t'aime.

AIMER: (è-mé). v.t. (lat. amare). (Anna, nous allons apprendre aussi le latin et les abrév., je crois).

Avoir de l'affection, de l'amitié, du goût, du penchant pour quelqu'un ou quelque chose.

C'est exactement ce que j'éprouve pour toi, surtout le penchant. Anna, je dois t'è-mé.

ENNUI: (an-nui) n.m. (de ennuyer) Lassitude morale produite par le désœuvrement.

Ça, ce n'est pas mal: « lassitude morale produite par le désœuvrement ». Petit Classique Illustré serait-il aussi un moraliste? La vérité est parfois simple et à cause de cela même nous ne voulons pas l'accepter. Si je n'étais pas désœuvré, si je m'occupais à quelque chose, Anna, à n'importe quoi, je ne m'ennuierais plus. Je t'oublierais presque. Je le sais d'expérience. Mais j'aime m'ennuyer, et je ne veux pas croire que mon amour soit si peu de chose qu'un rien m'en distraie. Je ne veux pas croire le psychique si lié au physique, la lassitude morale produite par le désœuvrement. Et je ne veux pas me mettre à radoter.

Passons donc aux:

12. Mots commençant par An(n)a

annal
annales
annaliste
annamite

ana (recueil de bons mots)
anabaptisme
anabaptiste
anacarde
anacardier (plante dicotylédone, elle aussi)
anachorète
anachronique (chronique d'Anna)
anachronisme
anacoluthe
anaconda (voir: eunecte)
anacréontique
anaérobie
anaglyphe
anagramme
anal, e, aux
analectes
analgésie
analgésique
analogie
analogique (qui tient de l'analogie)
analogiquement (par analogie)
analogisme (raisonnement par voie d'analogie)
analogue (qui a de l'analogie avec autre chose)

analphabète
analysable
analyse
analyser
analytique
analyste
analytiquement
anamorphose (foz')
ananas (na-na) (famille des broméliacées)
anapeste
anaphylaxie (augmentation de la sensibilité d'un orga-
     nisme -moi- à un poison -toi- par réinjection de ce
     poison)
anaplastie
anarchie
anarchique
anarchiquement
anarchisme
anarchiste
anastigmate ou anastigmatique
anastomose
anastrophe
anathématiser
anathème
anatife (probablement une injure : « espèce d'anatife »)
anatomie
anatomique
anatomiser
anatomiste
a' n'a pu.

Mais il reste les noms propres :

Noms propres commençant par An(n)a

ANNAM (région du Vietnam)
ANNAPURNA (8,075 m.)

ANABAPTISTES
ANABASE (i.e. expédition dans l'intérieur — Xénophon)
ANACHARSIS (karsiss) (philosophe scythe)
ANACLET (pape de 76 à 88)
ANACRÉON (poète lyrique grec)
ANADYOMÈNE (surnom de Vénus)
ANADYR
ANAGNI
ANASTASE I (pape: 398-402)
ANASTASE II (pape: 496-498)
ANASTASE III (pape: 911-913)
ANASTASE IV (pape: 1153-1154)
ANASTASE (saint) (pas pape) (fête le 21 avril)
ANASTASIE (sainte) (martyre) (fête le 15 avril)
ANATOLE (saint) (savant mathématicien — fête le 3 juillet)
ANATOLIE
ANAXAGORE (philosophe)
ANAXARQUE (philosophe II)
ANAXIMANDRE (philosophe III)
ANAXIMÈNE (philosophe IV)

•

13. Fragile

Et puis il y a toi, Anna, seule et unique, dont le nom n'est dans aucun dictionnaire, indéfinissable Anna, inclassifiable Anna.

ANNA: Prénom indéfini

Prénom infini aussi. Ne s'accordant jamais en nombre, mais toujours avec moi seul. Mon complément direct. Passé, présent et à venir. J'écrirai un jour un dictionnaire, comme Petit Classique, un dictionnaire de toi, un dictionnaire immense que j'écrirai toute ma vie, pour dire qui tu es, et je ne finirai jamais de l'écrire.

Et quand j'aurai fini, je pourrai peut-être cesser de t'aimer, et te mettre en formule, et te reproduire synthétiquement, et te fabriquer en série, et te numéroter, et te vendre à rabais, et te huiler tous les 2000 milles, et te changer tous les trois ans, et te perfectionner de temps à autre.

Quand j'aurai fini de te décrire, de t'expliquer, de rédiger ta brochure explicative, de démonter ton mystère pièce par pièce.

Pas avant.

De te connaître par cœur.

Pourtant je te connais par cœur, Anna. Par cœur, justement. Par cœur d'un bout à l'autre, jusqu'au bout des doigts sur le bout des miens, de long en large, de haut en bas, de gauche à droite, dans l'ordre habituel et dans l'ordre inhabituel, comme si je t'avais fabriquée. Comme si je t'avais fabriquée et mise dans une caisse. Haut. Bas. This side up.

F R A G I L E

Fragile Anna.

H A N D L E   W I T H   C A R E

M A N I P U L E R   A V E C   S O I N

Soigneusement. Lentement. Prudemment. Amoureusement.

M a n i p u l e r   a v e c   a m o u r .

Par cœur.

Je te connais sans te connaître, je te devine, je te sens, je te pressens, je te ressens. Je te flaire comme une piste. Je te renifle. Tu es si près de moi que je ne peux te voir. Je sais qui tu es, mais par-delà les mots, comme... comme... attends,... comme...

Comme tu vas revenir tout à l'heure et tu seras rieuse, ou tendre, ou fatiguée, ou à bout de nerfs, ou sur le bord des larmes et prête à tomber dedans, et je t'aimerai que tu sois n'importe comment, parce que tu seras là et que ce sera toi, n'importe comment, ce sera toi qui seras n'importe comment.

Et tu me diras « salut », ou tu m'embrasseras dans le cou, ou tu te serreras contre moi pour pleurer, de joie, de tristesse ou de fatigue, mais ce sera toi, n'importe comment.

Et tu auras faim, ou soif, ou envie de parler, de me raconter un tas de choses, de jouer, d'écouter un disque que tu viens d'acheter, de me montrer un tissu, de me faire une surprise, de rire de moi, de t'asseoir, de dormir, et ce sera toi, toujours toi, rien que toi.

FRAGILE
AVEC AMOUR

Petite Anna dans une grosse caisse, je t'attends toujours. Je m'ennuie de toi, j'ai les mains vides, sans tambour ni trompette, ni dictionnaire.

Que faire maintenant? Où aller, que dire, qu'inventer, que trouver, qu'imaginer, que jouer, comment s'occuper, et, une fois de plus, d'où venons-nous, où allons-nous, que puis-je, que dois-je, qu'ai-je à espérer, pourquoi y a-t-il quelque chose plutôt que rien, to be or not to be, que faire en un gîte à moins que l'on n'y songe, que diable allait-il faire dans cette galère c'était pendant l'horreur d'une profonde nuit.

Que faire, que faire, que faire...

Que faire?

14. L'oie zivetée

L'oie zivetée, Anna, est la mère de tous ses fils.

L'oie zivetée.

Connais-tu seulement l'oie zivetée, ignorante Anna?

Oiyea Zivetea Linnea.

D'abord, je parie que tu ne sais même pas ce que veut dire « zivetée ».

Ha!

ANNA: ZIVETÉ: (ve-té) Qui a des taches en forme de zivet. Ha!

MOI: Bon, passons. L'oie zivetée est un oiseau qui vit dans les régions

ANNA: artiques et artistiques.

MOI: On la retrouve particulièrement sur les côtes du

ANNA: Groenland

MOI: et sur les pentes du

ANNA: Stromboli.

MOI: C'est un oiseau dont les ailes peuvent mesurer jusqu'à

ANNA: 15 pieds

MOI: d'envergure. Son poids varie de

ANNA: 8

MOI: à

ANNA: 237

MOI: livres. Ses plumes sont

ANNA: jaunes

MOI: et zivetées de

ANNA: rose orange.

MOI (sévère): Mademoiselle, voulez-vous cesser de

ANNA: m'interrompre.

MOI: Voici un dessin qui représente assez bien l'oie zivetée.

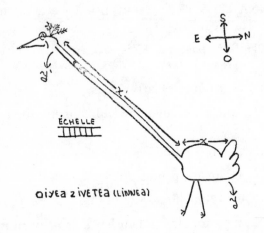

oiyea ziveTea (Linnea)

L'oie zivetée est reconnue pour ses mœurs rudes et autochtones. Son indiscrétion est notoire, et c'est pour cette raison que cet oiseau est rarement employé dans la grande industrie et dans la marine marchande, où, comme chacun sait, un tiens vaut mieux que deux tu l'auras.

L'oie zivetée est cependant fort appréciée pour sa chair grasse et malléable, ainsi que pour le zivet de ses plumes, avec lequel nombre de balles de tennis sont fabriquées.

La chasse à l'oie zivetée se pratique à l'année longue, surtout le 12 juin, alors que l'oie zivetée est animée de meilleurs sentiments et se laisse facilement capturer. La chasse à l'oie zivetée est de nos jours entièrement automatisée, grâce aux récentes découvertes de l'électronique, et plus particulièrement aux travaux du professeur Zivet.

L'oie zivetée est un oiseau mi-gratteur, mi-piqueur. Elle possède sous le ventre deux grandes plumes en forme de fourchette, qui lui servent à capturer les lucioles pour fin d'éclairage domestique, et une autre en forme de pelle mécanique, qui ne lui sert strictement à rien et la rend très maussade les soirs de grand vent.

Depuis sa découverte en 1711 par le savant Jacques Linné (voir photo), et les premières observations faites par son frère Ferdinand de Lesseps de 1742 à 1756, on a toujours remarqué un phénomène très intéressant qui reste un mystère pour la science ornithologique : durant la semaine des quatre jeudis, l'oie zivetée a tendance à pondre des œufs bleus pâles, comme les canards sauvages, (canardus sauvageus linneus), plutôt que rose foncé comme le font les autres bovidés. C'est d'ailleurs de là que vient la coutume de se jouer des tours le premier avril de chaque mois.

L'oie zivetée se nourrit principalement de lion frais,
de lionceaux, et de feuilles de laitues. Il est complètement
faux de prétendre qu'elle porte malheur pendant sept
ans si on en aperçoit une à droite le matin, à gauche le
midi et à yeur le soir: la frivolité de cette croyance populaire a été clairement et publiquement démontrée par
St-François de Salle d'Attente, qui aimait beaucoup les
animaux, et par son collègue St-François d'Assisse de

Dans. Quoiqu'il en soit, les oies elles-mêmes se soucient fort peu de ce petit inconvénient, et leur nombre augmente sans cesse bien que leur espèce soit en voie de disparition.

La première oie zivetée placée en orbite s'appelait Zyvette et n'apporta aucun des renseignements escomptés. Elle dormit tout au long du voyage et à son retour on dut lui raconter tout ce qu'elle avait vu. Ceci ne fit évidemment que confirmer l'opinion populaire qui prétend que l'oie zivetée est stupide et inadaptée à son contexte social. Mais la réalité est tout autre: dans son récent ouvrage « L'Oie zivetée ou rien », le polémiste et philosophe Boris Kévetchkévitch le démontrait si facilement qu'un enfant de six ans aurait pu le faire.

P O U R Q U O I   P A S   V O U S ?

Alors participez au grand Concours de l'Oie Zivetée et tentez votre chance. Il suffit de colorier le dessin de la page 76 et de l'envoyer avec vos nom, adresse et numéro de téléphone et une photographie de votre grande sœur à:

> Concours de l'Oie Zivetée
> C.P. 0123go
> Montréal, P.Q.

Je répète:

> Concours de l'Oie Zivetée
> C.P. 0123go
> Montréal, P.Q.

Premier prix: La joie du travail bien fait.

Deuxième prix: La satisfaction du devoir accompli.

Troisième prix: Le désir de faire mieux.

Les noms des gagnants seront proclamés à une date ultérieure, et ceux-ci seront avisés personnellement par oie zivetée voyageuse. Tous les autres participants devront se considérer comme des perdants, des ratés et des médiocres qui ne font jamais rien de bon.

Formule de Participation

(détacher ici)

CONCOURS DE L'OIE ZIVETÉE

Nom: (en lettres moulées ou en moules lettrées): ....

Adresse: ....

No. de Tel: ....

Question subsidiaire: Ma grande sœur a .... ans.

15. Les nez et les vaches

Voilà.

C'est tout ce que je sais au sujet de l'oie zivetée, Anna, je regrette. Je pourrais bien t'inventer des tas de choses plus ou moins vraies, mais je ne tiens pas à ce que tu aies la tête pleine d'erreurs. Mieux vaut une tête bien faite que bien pleine, disait Montaigne, — et Dieu sait que la tienne est bien faite, Anna ma belle.

Je m'ennuie tout à coup de ton visage, Anna, de tes yeux, de tes lèvres. De ton nez aussi. C'est bête à dire, Anna, mais j'aime beaucoup ton nez... C'est si peu vivant pourtant un nez... Ça ne vaut pas une bonne vieille trompe... Je me demande pourquoi je l'aime... D'ailleurs c'est laid, à bien y penser; moins laid que des oreilles, mais laid tout de même. Même les beaux nez sont laids. Évidemment, ce serait pire si on n'en avait pas, mais on pourrait avoir autre chose à la place, une main par exemple, ou une queue préhensible.

Je m'ennuie de ton nez parce qu'il est tout petit et qu'il est tout seul. C'est triste d'être un nez. Deux yeux, deux sourcils, deux oreilles, deux lèvres, ça va bien; mais *un* nez? — Deux narines, dis-tu — Bien sûr deux narines, mais un seul nez tout de même. Je n'ai pas dit qu'il était triste d'être une narine, loin de moi cette idée, j'ai dit qu'il était triste d'être un nez. — Une bouche, dis-tu — Une seule bouche, évidemment, mais ce n'est pas pareil, ça parle, ça se conte des histoires, ça embrasse. Et les yeux peuvent aller voir ailleurs s'ils y sont. Et les oreilles, quand elles s'entendent bien ensemble, elles n'ont

vraiment pas de quoi se plaindre. Tandis qu'un nez, un
pauvre petit nez, un nez qui ne peut pas se sentir, c'est
à en pleurer, c'est triste, c'est . . . laisse-moi y penser . . .
c'est désolant.

C'est ça! UN NEZ, C'EST DÉSOLANT

Il faut le dire fort, parce qu'il est rare d'entendre
des vérités aussi sûres. Un nez, c'est désolant. Il faut le
dire souvent aussi: un nez c'est désolant, un nez c'est désolant, un nez c'est désolant, un nez c'est désolant. Comme une montagne qui s'ennuie toute seule au milieu
d'une plaine. Une montagne, c'est fait pour être dans les
montagnes; un nez, c'est fait pour être avec d'autres nez.

Nez solitaires du monde entier, unissez-vous! À trou-
vaille égale, salaire égal!

Je suis content d'avoir compris le problème des nez.
Bien content. On se sent ensuite rempli de bonté pour
eux, de respect aussi. C'est comme le jour où j'ai compris les vaches pour la première fois. Ça m'a bouleversé.
Je n'ai plus jamais été le même depuis.

Tu vois Anna, une vache, ça a l'air simple à comprendre, à première vue; mais en réalité peu de gens les
comprennent, et c'est pour cela qu'ils croient s'injurier
en se traitant de « vache ». S'ils avaient compris, ils ver-
raient les choses tout autrement. Mais pour en arriver
là, il faut savoir s'y prendre. On ne s'improvise pas docteur en vache du jour au lendemain. Ni même vacholo-
gue amateur. Il faut d'abord entrer dans la peau de la
vache.

Recette pour comprendre les vaches

1 – acheter de la gomme à mâcher.

2 – s'étendre dans un champ au soleil, à midi, en été.

3 – tout en mâchant et en profitant du soleil, regarder,
ou imaginer les gens qu'on a laissés derrière soi, les
gens qui courent parce qu'ils sont en retard, les gens
qui s'essoufflent pour ne pas rater leur autobus, les
gens qui travaillent, les gens qui réfléchissent, les
gens qui parlent en termes de, les gens qui ont des
problèmes, les gens qui sont pressés, les gens qui re-
pensent le sens de leur christianisme, les gens qui
s'inquiètent, les gens anxieux, les gens angoissés, tous
les gens qui font quelque chose d'important, qui pren-
nent des décisions historiques, qui assument leurs
responsabilités, qui vont dans le sens de l'histoire, les
gens utiles à l'humanité, et qui travaillent à son progrès, et pour qui la vie est une chose sérieuse, etc.,
etc.

4 – continuer à mâcher sa gomme et se détendre complètement; observer tous ces gens avec détachement; se
laisser aller au soleil, au petit vent tiède qui fait du
bien; regarder pousser l'herbe, changer les nuages,
tourner la terre; passer une heure à regarder un oiseau qui ne fait rien sur une branche, une journée
à attendre qu'une feuille se détache, qu'un fruit mû-
risse; bâiller lentement de temps à autre; se gratter
la tête; s'étirer ... Et l'on se sent devenir vache, vache, de plus en plus vache ...

L'état d'esprit des vaches, vois-tu, c'est une sorte de
mépris las qui n'a même pas la force de mépriser. Et puis
il s'y mêle un peu d'ironie, un peu de bienveillance, un
peu de compassion et beaucoup de scepticisme. Les vaches, (sinon toutes, du moins le plus grand nombre),
trouvent incroyable que l'on puisse se donner tant de mal
pour rien. Incroyable, ridicule, et surtout pitoyable. Elles
savent bien qu'on ne changera jamais la face du monde,
qu'il suffit de manger de l'herbe et de donner du lait, et des

veaux, et que tout se résume dans la vie à ces deux fonctions instinctives. C'est à cause de cet état d'esprit d'ailleurs qu'elles aiment tant regarder passer les trains, qui sont pour elles l'image du destin, inébranlable, irrévocable, fixé d'avance pour l'éternité, la grande éternité vache dans les verts pâturages du ciel.

Les vaches trouvent donc ridicules nos vaines agitations. Mais comme au fond elles ont bon caractère, elles sont tristes de nous voir prendre tant de peine. C'est ce qui rend leur regard si difficile à analyser. On y retrouve un calme de Bouddha, une grande douceur et une tristesse infinie.

Comme tu vois, Anna, finalement une vache c'est assez complexe. Manger, dormir, regarder, c'est tout ce qu'elles font, dirait-on; peut-être, mais il y a derrière cela toute une philosophie. Je crois, tout compte fait, que les vaches ont envie de rire du genre humain et en même temps de pleurer sur lui; et, en plus de cela, envie de ne pas s'en occuper, ce qu'elles ne peuvent faire à cause de leur tempérament doux et charitable. Et c'est pour cela que les vaches meuglent, c'est un appel à la sagesse et à l'abstentionnisme.

Tu sais Anna, je suis un peu une vache, c'est pour cela que je les comprends, mais je ne suis pas vraiment totalement une vache parce que les vaches ne s'ennuient pas, ne peuvent pas s'ennuyer, tellement elles sont occupées à ne rien faire. Alors que moi je cherche toujours quelque chose pour m'occuper, quand tu n'es pas là. J'essaie de penser à toutes sortes de choses, comme la philosophie des vaches, et je m'instruis, et quand tu reviendras je te dirai ce que j'ai découvert. Et tu seras fière de moi.

J'aime bien que tu sois fière de moi, Anna. Avant, je ne voulais pas me l'avouer parce que je pensais: « C'est de l'amour-propre, ce n'est pas de l'amour ». Maintenant je m'en fous. Avant, quand j'étais plus jeune et qu'on m'avait mis toutes sortes d'idées dans la tête, je me demandais : « Est-ce bien cela, l'Amour avec un grand M, est-ce que je t'M vraiment ou n'est-ce que moi que j'aime à travers toi ? »

16. Question angoissante

Q – J'ai 8 ans et depuis quelque temps je fréquente assi-
dûment une jeune fille que je crois aimer. Voici mon
problème: je me demande parfois si c'est elle que
j'aime, ou si je n'aime qu'une projection de moi sur
elle, que l'image embellie, idéale, qu'elle me renvoie
de moi. Je lui ai proposé que nous cessions de nous
voir pendant quatre ans — pour éprouver nos sentiments — mais le lendemain soir je lui ai téléphoné.
Lorsqu'elle n'est pas là, je suis très malheureux et je
m'ennuie à mourir. Dites-moi, docteur, croyez-vous
que ce soit grave?

Dans la cuisine, j'ai un plafond noir foncé et des
murs roses. Je voudrais mettre des rideaux mauves
et un tapis mur à mur de la même couleur. Qu'en
pensez-vous? Je lis votre courrier tous les jours.

Un qui attend votre réponse avec impatience.

R – Cher un qui attend ma réponse avec impatience,
Vous me demandez « Qu'en pensez-vous? ». Sachez
d'abord que je pense continuellement. Je n'ai pas
de moments précis ou privilégiés. C'est d'ailleurs pour
cette raison que je peux répondre aussi rapidement
à votre lettre, et voici ce que j'ai à vous dire.

Vous êtes encore bien jeune pour aimer. Vous com-
mencez à peine à vivre et vous risquez déjà d'être
malheureux. Personnellement, d'après mon expérience personnelle, je dirais que je ne crois pas
qu'avant 48 ans une personne soit suffisamment

mûre pour connaître le véritable amour, qui est, comme le dit si bien le Père Limpinpin dans la « Vie de Sainte Nitouche de Lisieux », un don total de soi, un don de tous les instants à la personne aimée. Vous ressentez pour cette jeune fille une sympathie, une attirance qui est bien normale à votre âge; ce serait plutôt son absence qui serait troublante. Mais c'est avant tout vous-même que vous cherchez à aimer à travers elle, alors que vous devriez regarder tous les deux dans la même direction.

Pour ce qui est de votre deuxième question, je crois que le mieux à faire est de sabler entièrement et de donner une couche de vernis, auquel vous pourrez ajouter un peu de teinture d'iode. Une fois ce travail fait, laissez sécher, sablez à nouveau et recommencez: ça vous occupera.

Quant à votre dernière question, je n'ai pas pu la publier ici pour les raisons que vous devinez, et je ne peux non plus y répondre. Mais pensez-y très fort, faites des comparaisons avec la nature qui vous entoure, les fleurs, les oiseaux, vous finirez bien par comprendre.

                                        Matante Chose.

Maintenant je m'en fous. Ça ne me fait rien que ce ne soit pas de l'amour, que ce ne soit pas ça l'amour — puisque je t'aime. Je t'aime Anna, j'ai besoin de toi, je m'ennuie de toi, je ne peux vivre sans toi.

Qu'est-ce qu'aimer, Anna? C'est avant tout ne pas se poser cette question.

Viens.

17. Dans deux mois dans deux ans

Viens.

Je t'appelle, Anna, comme du sommet d'une montagne suisse où nous pourrions avoir un chalet suisse pour nous aimer calmement dans le grand calme suisse, bercés par le grelot des cloches des vaches philosophiques suisses broutant doucement l'herbe des vallées suisses.

Je t'appelle, écho de moi-même.

AAAAANNNNNAAAAA   aaaaannnnnaaaaa

AAAAANNNNNAAAAA   aaaaannnnnaaaaa

Anna, je m'ennuie, je voudrais te le dire sur tous les tons, tristement, mélancoliquement, maussadement, désespérément, découragément, imploramment, suppliamment.

M'ennuie m'ennuie m'ennuie m'ennuie...

Si au moins tu m'avais dit: « Je reviendrai dans deux ans. À bientôt. » je ne t'attendrais pas, je trouverais quelque chose à faire, j'aurais le temps d'entreprendre quelque chose. Mais à t'attendre d'une minute à l'autre à l'autre à l'autre, avec le cœur battant, à chaque seconde où tu n'arrives pas le désespoir prend la place de l'espoir, à chaque seconde je suis déçu un tout petit peu plus.

Chaque seconde où tu n'arrives pas, Anna, est un petit désespoir de plus, un petit morceau de cœur qui s'use à battre trop fort pour rien. Comme un moteur qui tourne à vide. Chaque minute où tu n'es pas venue, c'est soixante petits désespoirs qui s'accrochent les uns aux autres à la queue leu leu. Et au bout d'une heure, Anna, si tu sais compter, 3,600 petits désespoirs pour m'user le cœur, soixante fois soixante petites déceptions, petites tristesses, petits malheurs, un derrière l'autre, qui se poussent dans le dos. Tu sais ce que ça peut prendre de tendresse pour effacer 3,600 petits désespoirs? Jusqu'à septante fois sept fois, Anna, septante fois sept fois je ne sais pas quoi.

Pourquoi alors n'es-tu pas partie pour deux ans, Anna? Tu vois toute la tristesse que tu m'aurais évitée? Tu ne m'aimes donc plus Anna?

J'aurais reçu ta lettre:

Ne m'attends pas. Je pars pour deux ans.
Anna.

Je me serais dit: « Bon! Anna est partie pour deux ans », et je n'aurais plus pensé à toi. Je me serais occupé. Semaine après semaine.

1 – j'aurais entrepris une collection de papillons guatémaltèques.

2 – j'aurais organisé les loisirs paroissiaux, c'est toujours bien vu.

3 – j'aurais enseigné la biologie en onzième année.

4 – j'aurais fait mes Pâques.

5 – j'aurais appris à jouer de la cornemuse.

6 – j'aurais marché sur les mains.

7 – j'aurais étudié l'optométrie.

8 – j'aurais lu « La Dame aux Camélias ».

9 – j'aurais imaginé des animaux à huit têtes avec deux nez chacune.

10 – j'aurais prédit l'avenir aux grands de ce monde.

11 – j'aurais fait des démonstrations de karaté.

12 – j'aurais proposé une réforme des structures administratives.

13 – j'aurais — non, la treizième semaine, ça porte malchance.

14 – j'aurais engagé des collaborateurs.

15 – j'aurais soudoyé des fonctionnaires.

16 – j'aurais loué des chaises roulantes aux aveugles.

17 – j'aurais inventé le kaléidoscope.

18 – j'aurais chassé le lièvre et la tortue.

19 – j'aurais conduit des locomotives diesel.

20 – j'aurais multiplié le nombre des bornes-fontaines (par quatre).

21 – j'aurais entretenu de bonnes relations avec le voisinage.

22 – j'aurais amorcé une révolution en Amérique Latine (c'est facile).

23 – j'aurais signé des autographes.

24 – j'aurais lancé des rumeurs.

25 – j'aurais mangé un cornet de crème glacée.

26 – j'aurais agrandi mon champ d'action.

27 – j'aurais développé l'industrie des pâtes et papiers.

28 – j'aurais questionné les gens autour de moi.

29 – j'aurais rêvé le soir au clair de lune.

30 – j'aurais chronométré les courses de chevaux.

31 – j'aurais résolu des problèmes d'échecs voués à l'échec.

32 – j'aurais réconcilié des couples malheureux.

33 – j'aurais apostrophé un garçon de table ou une fille de chaise.

34 – j'aurais esquissé des projets d'avenir.

35 – j'aurais aménagé de nouvelles portes de sortie.

36 – j'aurais propagé les drogues artificielles.

37 – j'aurais supprimé le régime présidentiel (une bonne chose de faite).

38 – j'aurais amorti les coups.

39 – j'aurais partagé les dividendes.

40 – j'aurais défrayé la chronique.

41 – j'aurais levé le siège de Jérusalem, mais maintenu l'embargo.

42 – j'aurais instauré un système juridique.

43 – j'aurais songé à me lancer dans les affaires.

44 – j'aurais parlementé avec les délégués spéciaux.

45 – j'aurais affranchi mes esclaves (magnanimement).

46 – j'aurais aspiré à de nouvelles fonctions.

47 – j'aurais survécu à un accident mortel.

48 – j'aurais préféré la mort à la déchéance.

49 – j'aurais contribué aux campagnes de charité et aux villes d'égoïsme.

50 – j'aurais discuté de politique internationale (pour m'endormir le soir).

51 – j'aurais éventé des complots (pour éviter que certains renseignements secrets ne transpirent).

52 – j'aurais inauguré un nouveau pont (il faut avoir fait ça au moins une fois dans sa vie).

53 – et, la deuxième année, j'aurais tout recommencé.

Que n'aurais-je fait, Anna, si tu étais partie pour deux ans! Tout me souriait quand tu cessais de me sourire, la vie m'ouvrait les bras quand tu fermais les tiens. Anna! Pars! Va-t-en, je t'en prie, Anna. Laisse-moi profiter de la vie, laisse-moi la chance de faire mes preuves par neuf, laisse-moi être heureux au moins pour un temps.

Pars, Anna. Deux ans seront vite passés. Ne t'accroche pas toujours à moi, laisse-moi ma liberté, laisse-moi la liberté de m'épanouir, de me réaliser. Laisse-moi Anna.

Va-t-en.

Je sais que tu m'aimes, Anna, que tu es follement éprise de moi. Je le sais, je le vois. Je le comprends aussi, Anna. Je ferais la même chose à ta place. Je sais qu'il est difficile de ne pas m'aimer, tu n'es pas la première à me le dire. Mais fais un effort Anna, ne t'accroche pas. Va-t-en. Laisse-moi.

Tu m'ennuies, Anna, tu m'ennuies.

Tu ne peux pas vivre sans moi et cela aussi m'ennuie. Je suis merveilleux, je le sais, tu me l'as souvent dit, on me l'a souvent dit. Mais si tu m'aimes Anna, pars. Pars loin de moi. Longtemps.

Tu m'ennuies, Anna. Dès que tu es là, je suis malheureux. Comme un jour sans soleil. Je crains à chaque instant de te voir entrer et mon cœur bat à la pensée que tu peux venir d'une seconde à l'autre à l'autre à l'autre. Ne viens pas, Anna, ne viens pas.

AVEC TOI, LA VIE NE VAUT PAS LA PEINE D'Ê-TRE VÉCUE

AVEC TOI, LA VIE COMMENCE À QUARANTE ANS

J'ai vingt ans, Anna, fous-moi la paix. Laisse-moi seul, laisse-moi tranquille, laisse-moi vivre. Va jouer dehors. Tu m'ennuies Anna. Fais-toi des amis, entre au Caramel ou chez les Trapézistes, pars en croisière, trouve un moyen, n'importe lequel.

Sans moi tu trouves la vie dure, je sais. Tu ne sais que faire, où aller, que penser, qu'inventer, qu'imaginer. To be or not to be. Comme un moteur qui tourne à vide... — Mais fais un effort, Anna.

Tu m'aimes, je sais, mais tu m'ennuies. Tu m'ennuies, Anna. Tu ne peux pas savoir combien ma vie est triste avec toi, combien je trouve le temps long. Comme un moteur sans soleil. Comme un jour qui tourne à vide.

Sois gentille, Anna, va voir dehors si j'y suis, entre au sanatorium, fais-toi frapper par une auto, un autobus.

Un camion de ciment.

Tu m'ennuies...

Les voyages forment la jeunesse, Anna: voyage.

Longtemps.

Longtemps.

Et paix sur la terre aux hommes de bonne volonté.

18. Unchauncha

Ça ça s'appelle appeller un chat un chat.

●

Un jour, Anna, nous achèterons un beau gros chat
et nous l'appellerons « Un chat ». « Uncha-uncha-uncha-
uncha — viens ici mon beau chat ». Et les gens diront
que nous n'avons pas peur d'appeler un chat un chat.
Que nous n'avons pas froid aux yeux. Que nous n'avons
pas les yeux dans notre poche. Que nous n'avons pas les
poches pleines de trous. Que nous ne jetons pas l'argent
par les fenêtres. Et que nous ne le crions pas sur tous les
toits.

Et ça nous fera bien plaisir.

19. Et ce jardin, Anna

OR, Anna, j'en avais assez d'errer comme une âme en peine dans ta maison folle, si vide d'avoir été si pleine de ta présence tantôt à peine.

OR, Anna, j'avais parcouru une à la suite de l'autre ses ramifications, ses détours et ses prolongements, et grimpé un à un ses escaliers, et traversé cent fois l'intersection de son Greenwich et de son équateur.

OR, Anna, je n'en pouvais plus d'attendre et d'attendre encore, Anna qui ne viens pas, n'es pas venue, mais qui viendras, comme un voleur, pour me surprendre, comme la mort, ou la fin du monde, et le commencement du monde en même temps et le paradis terrestre.

MAIS qu'y pouvais-je, Anna, que de t'attendre encore, et malgré moi de sursauter au moindre bruit, de t'espérer au moindre vent, de t'inventer au moindre murmure.

COMME un chasseur à l'affût, tressaillant au moindre mouvement des branches, aux moindres feuilles froissées, aux ombres insolites,

— tressaillant à ta main posée soudain sur mon épaule pour m'annoncer ta venue, un après-midi d'automne jaune comme un cœur de marguerite,

— tressaillant à ton bras passé autour de mon cou un matin d'été, au pied d'un arbre où regardant au fil de l'eau passer le temps je t'attendais.

Anna!

Et c'était toi, enfin, alors, Anna de mes vacances, de mon soleil, de mes baisers, si belle et brune et chaude et odorante; j'entends encore le chant des cigales, Anna, si gale, cigaie.

Combien nous en avions rêvé alors de la maison où nous serions heureux — et sans jamais plus nous séparer — fût-ce pour quelques heures, disais-tu — puisque rien n'était plus important qu'être ensemble.

Tu t'en souviens, Anna?

J'arrive et pour rêver et ce jardin t'en souvient-il
T'en souvient-il, dis-moi, jaune île et chaud soleil à boire?
Pas à pas revenue, soir au matin, jour à nuit noire
Ce soleil jaune et chaud, enfance belle au bord des cils?

C'est à tracer ton pas, ta voix, c'est à tracer tes gestes
Sur les gestes d'hier, les mots, les pas, au souvenir
Au revenir des jours, c'est à aimer, à retenir
Que se fait au jardin ta venue, si tu viens — et restes

    Qu'il t'en souvienne aux soirs des villes viles
    D'une douleur atroce à en mourir
    Et d'un coup sec, au cou, pour en finir
    Tu reviendras, brisée, au bord des îles

    Qu'il t'en souvienne. Ta vie est comme un fil
    Et ce cœur bat, barbare, à toute allure
    Mais le dedans s'emplit de moisissure
    Et le dehors se tend, t'en souvient-il?

À l'endos des rappels, mémoire en son cœur volatil
Il se tresse à l'envers, tremblant et chaud, soleil et lune
Ce jardin le voici, notre jardin, blonde enfant brune
J'arrive et pour rêver, mais toi, mais toi, t'en souvient-il?

J'arrive et quel est-il, cerclé de ton profil
T'en souvient-il, dis-moi, et ce soleil d'écorce orange

Qu'il t'en souvienne, au jour, d'une brûlure étrange,
[étrange
Nous aimerons par cette enfance belle au bord des cils

Anna, je t'aime tellement tendrement, tellement doucement, tellement calmement, que si tu ne le savais pas tu ne t'en rendrais même pas compte. Je t'aime comme les lacs le reflet des nuages. Je n'ai envie que de rester là à te voir, vivante et présente, réelle. À la surface de l'eau, sans te toucher, te voir. Te savoir. Ne pas parler, ne pas bouger, pour que nul vent ne te déforme à ses vagues, ne brouille ton image par trop d'empressement. Te voir, te recevoir. Sans que tu saches ma présence même, te regarder telle qu'en toi-même. Afin que rien ne t'effarouche. Être là simplement et toi aussi, avec le bonheur fragile de pouvoir te perdre à chaque instant, au moindre geste. Te voir, t'avoir. T'avoir toute d'un seul regard, d'un seul miroir, d'une rive à l'autre, autant que je te peux contenir, autant que je te peux convenir, pour que tu sois telle que tu te veux, sans souci de moi; et je n'ai envie d'être soucieux que de toi seule, doucement, doucement; et tu n'as rien à craindre, comme d'un lac un nuage.

Quel est ce bruit Anna, ton pas sur l'allée de gravier ou simplement l'air qui vibre à ton passage et se déploie comme des ailes à tes épaules, ou comme une fontaine qui te donne naissance à la chaleur d'un matin d'été?

Ou tes lèvres s'accompagnant d'un murmure à tant aimer et cent fois amplifié par le silence étrange et bourdonnant, comme attiré par l'aimant le fer, par le bonheur, par le désir, par la passion, par ta venue en cette eau claire que je respire?

Qu'ai-je entendu tout bas
Qu'ai-je entendu tout près
Tout comme un bruit de pas?

       Et comme le bateau tanguait
       De quel côté que le vent vente
       Mon cœur penche selon sa pente

Mais quel fût ce silence
Là-bas ce vol d'oiseaux
Dont les cris se relancent
Au centre des roseaux
Sous les pas qui s'avancent?

       Et pourtant encore ce doute
       Malgré l'approche que j'écoute
       Malgré l'approche familière
       Ce pas qui à l'autre s'ajoute
       De cette façon coutumière
       Et où je te devine toute

Mon cœur aussi bat et s'arrête
Mon cœur aussi, trop peu, trop fort
Mon cœur feint tour à tour sa mort
Et la vie neuve qu'il secrète
Et tour à tour aux deux s'apprête
Et devine son double sort

       Ce pas aussi, cette délicatesse
       Le poids d'un rêve plus léger
       Pourtant une branche a bougé
       Quel vent m'est bourreau à venger
       Quelle eau maintenant m'est traîtresse
       Quelle espérance m'est détresse?

Désespérément j'attends, Anna, que tu sois enfin celle qui me répond, qui prolonge les mots que je dis dans l'espace, celle qui ajoute à mes demi-phrases les demi-phrases qui s'y ajustent, celle qui sait ce qui se cache derrière mes points de suspension, celle qui referme mes questions pour en faire des cercles parfaits rebondissant sur le sol comme des balles.

Moitié de moi-même, sans toi je ne vis qu'à demi, sans toi aux trois-quarts fou et aux sept-huitièmes malheureux. Il ne reste pas de moi pierre sur pierre, que vestige et vertige, et la trace que laissa en moi ton passage, et la coquille vide de ta maison où je m'ennuie à mourir et meurs à demi.

Anna, pourquoi faut-il que je m'ennuie?

Pourquoi suis-je mal sans toi, pourquoi ai-je besoin de toi, pourquoi ne puis-je me passer de toi? Qu'as-tu de plus que les autres et que les autres ne voient même pas? Qu'est-ce que j'ai à tant t'aimer, quelle mouche m'a piqué, de quel virus souffre-je?

Si seulement je savais, Anna, je trouverais bien un moyen, un remède, un truc, une vitamine, une chose, une piqûre, un machin, un antibiotique, un traitement, une cure, un hôpital, un sanatorium, une clinique, un médecin, un infirmier, une garde-malade, quelqu'un, un garde-fou, de l'aide, un espoir, une porte de sortie, un escalier de secours, une échappatoire, une excuse, un prétexte, une retraite, un abri, un lieu sûr. Mais je reste toujours exposé à toi, à tes charmes, à tes maléfices, à ta sorcellerie, à tes flèches empoisonnées, toujours à portée de ta sarbacane, dans ton rayon d'action, ton champ de vision, ta ligne de mire . . .

Pourquoi, pourquoi ai-je besoin de toi, qu'as-tu de si merveilleux, que ferais-je de plus si tu étais ici?

Que ferais-je de plus si tu étais ici?

Que ferais-je de plus si tu étais ici, je te le demande.

Tu préparerais le souper à la cuisine, et je serais assis au salon, comme je le suis maintenant, avec cette différence que je te saurais là.

J'imagine que tu es là. Je fais terriblement semblant que tu es là, Anna, et je m'ennuie encore, quand même.

Peut-être en temps normal écouterais-je un peu de musique? Est-ce là la différence? J'essaie.

J'essaie, Anna. Gainsbourg-percussion, tiens. J'aime beaucoup ça lorsque tu es ici.

Maintenant donc, j'ai recréé dans mon expérience toutes les conditions que l'on rencontre dans la réalité: toi dans la cuisine — moi dans le salon — la musique.

Et je m'ennuie . . .

20. Mini-lettres

Que faut-il que je fasse maintenant pour que l'illusion soit parfaite? Que je me déguise en Anna et que j'aille dans la pièce voisine crier comme tu le ferais: « Mets le son plus fort, s'il-te-plaît » Et que je revienne en courant au salon pour demander: « Qu'est-ce que tu dis? »

Et que je retourne me déguiser et crier: « Je-dis-plus-fort! »

Et que je revienne baisser le volume du tourne-disque pour redemander de ma voix naturelle: « Pardon? »

Et que je retourne en changeant ma voix: « PLUS FORT »

Et que je revienne: « J'ai tort? »

Et que je retourne: « Pas mort: CORPS! »

Et que je: « Du sport? Ah non! Je suis fatigué »

Et que: « L'été? »

Et: « Non, les pieds. LES PI-EDS! »

« Ah! Le laitier! Vous prendrez du beurre. »

« Hé? »

« Du BEUR-RE »

« Non, je n'ai pas peur. VOUS? »

« Pas d'cœur? COMMENT ÇA PAS D'CŒUR? »

« Hé? »

« Je dis que j'ai du cœur! DU-CŒUR! »

« AH! »

« Qu'est-ce que vous dites? »

« Non merci. »

« MIDI? Moi j'ai deux heures! »

« AH! »

« DEUX HEURES! COMPRENEZ-VOUS? »

« Oui! Moi aussi. »

« NON, DEUX-HEU-RES! »

« Ah! »

« Quoi? »

« Vous êtes bien aimable! »

« EN DESSOUS DE LA TABLE? »

« NON, UNE ORANGE, O-RAN-GE! »

« DE L'ORAGE? »

« NON, une o-RAN-ge! »

« OUI, C'EST CE QUE JE DISAIS. »

« PARDON? »

« C'EST CE QUE JE DISAIS! »

« Ah oui? Moi aussi. »

« Mais non! Je dis : C'EST CE QUE JE DISAIS! »

« Comment? »

« JE DIS : C'EST CE QUE JE DISAIS! C'EST CLAIR, NON? »

« Hé? »

O.K., grand-père, on vous écrira. ON VOUS ÉCRI-RA!

On vous écrira . . .

On m'écrit.

On m'écrit . . . De toutes petites lettres, à peine si on les voit. Des minuscules.

Des lettres minuscules cachées sous les tapis; des syllabes accroupies derrière les fauteuils; de tous petits mots tassés par trois ou quatre dans les coins pour les empêcher de tourner en rond; des consonnes écrasées dans les vitres comme des nez d'enfants; une voyelle retrouvée un jour dans le revers de mon pantalon; une syllabe complète dans la poche de mon manteau, quelque chose comme « mour », je crois.

On m'écrit...

Une carte postale par exemple:

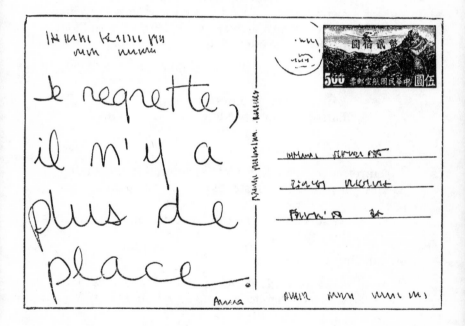

ou ta lettre si rassasiante du 16 juin:

Je t'aime, je t'aime, je t'aime, encore plus que les mets chinois.

Anna.

et puis les autres, toutes si longues que je les ai apprises par cœur, au fur et à mesure, que je m'en suis fait une bibliothèque dans ma tête, avec des bobines de mémoire et des microfilms bien rangés sur les tablettes de mon cervelet, et que je peux retrouver quand je veux grâce au système Dewey:

> Quoi de nouveau mon amour? Rien sinon que je t'aime aujourd'hui pas comme hier. — Monsieur Bergson l'a dit, on n'est jamais la même personne qu'à l'instant précédent. Facéties, tout n'est que facéties. Salut,
>
> Anna.

> Ben... moi je ne sais pas quoi dire... J'ai hâte de te revoir et je t'aime, c'est tout.
>
> Anna.

et j'en retrouve partout, des lettres interminables, qui ont parfois jusqu'à cinq ou six lignes, et qui commencent par:

> Je suis au bord de ma fenêtre et de la mauvaise humeur.

ou qui finissent par:

> Ceci ne voulant rien dire ou à peu près, je te salue et t'embrasse sur le nombril.
>
> Anna.

ou par:

> Tu vois, je ne sais plus quoi écrire à présent. J'ai écrit vite vite comme je t'aurais sauté au cou et t'aurais embrassé.
>
> Anna.

ou par :

> Et sur ce, Mesdames et Messieurs, bravo, ap-
> plaudissez et à la semaine prochaine.
>
> Anna.

et « la semaine prochaine », après avoir attendu patiem-
ment, on reçoit une longue lettre en récompense :

> J'ai envie de faire quelque chose à l'instant,
> comme on a envie de se lever tout à coup et
> d'aller boire, comme on a envie de bouger, de
> prendre une cigarette pour continuer ensuite
> son travail. — J'ai envie de t'embrasser. —
> Voilà.
>
> Anna.

Voilà. Pas plus compliqué que ça. Et à la semaine
prochaine !

Et cette fois-là, on reçoit une lettre de remerciement,
pour un cadeau que tu t'es d'ailleurs toi-même acheté :

> Tu as eu beaucoup de goût, un choix très sûr
> tu as fait et très contente de toi je suis.
>
> Anna.

Eh bien non ! Non, pas du tout de toi content suis-je.
Bien sûr, à première vue, c'est gentil tes petites lettres :
tu penses à moi, tu m'écris, tout va très bien madame la
marquise de Sévigné. Moi, je trouve ça un peu court,
jeune fille. Suis content du tout pas de toi, je. Songes-tu
que c'est tout ce que j'ai pour la journée, moi, ces petits
mots ?

Songes-tu qu'une fois passées les deux secondes que
j'ai mises à les lire, tout ce qu'il me reste à faire, c'est

de les relire? Songes-tu qu'il y a 3,600 secondes dans une heure?

Pas de toi suis-je content tout du.

Songes-tu que c'est tout ce que j'ai pour dîner, pour souper, pour passer l'après-midi, pour fumer, pour écouter des disques? Songes-tu que c'est tout ce que j'ai pour t'imaginer, pour t'attendre? Sans-cœur. Que veux-tu que je fasse maintenant? Je m'asseois et je pense et je me désespère. Sais-tu ce que c'est que de penser toute une journée, comme un rat? Assis dans une pièce vide, en plein désert, au sommet d'un gratte-ciel, en pêchant à travers la glace au pôle Nord? Le sais-tu? Y songes-tu?

Content suis-je pas tout du.

Tout du, tout du, tout du.

21. Crac!

Je m'asseois et je pense. Regarde comme c'est drôle.
Tu peux bien rire. À quoi vais-je penser maintenant?

Je pense à penser. Je vois ma tête comme une montre pleine de petits rouages qui tournent sur eux-mêmes,
pleine de petits ressorts, d'engrenages, de déclics. (Pas
un coucou, une montre, j'ai dit). Je sens que je vais avoir
des idées terribles, des idées noir foncé.

Je pense à ma machine à penser pleine de rouages,
comme un robot. Comme un moteur qui tourne à vide.

Clic.

Je pense maintenant à un grand champ où nous
avons dormi au soleil, sans problèmes, et au train qui
nous a réveillés en passant tout près de nous.

Clic.

Je pense aux vaches auxquelles je pensais tantôt
et je voudrais bien être à leur place parce qu'elles ne pensent à rien.

Clic.

Je pense aux trains que les vaches regardent passer,
au train qui nous a éveillés, aux voyages que j'ai faits
mais je ne veux pas y penser.

Clic.

Je pense aux voyages que nous ferons. Je pense que
je ne pense pas; je rêvasse.

Clic.

Je voudrais voir la jungle, la forêt vierge, les perroquets voler en liberté.

Clic.

Je pense quand même aux voyages que j'ai faits. Sunshine Valley. Et paix sur la terre aux hommes de bonne volonté.

Clic.

Je repense que je ne pense pas, j'évoque seulement des images. Je pense que je pourrais avoir de grandes pensées philosophiques, mais je les évite par paresse.

Clic.

Je voudrais voir un volcan en éruption et la lave rouge dans la nuit.

Clic.

Je pense que je vais mourir et qu'il y a un tas de choses que je n'aurai pas faites, un tas d'expériences possibles que je n'aurai pas vécues. Je n'aurai même pas profité du peu que j'ai.

Clic.

Je pense que je n'aurai même pas aimé d'autres lèvres que les tiennes.

Clic.

Je ne veux pas penser à toi.

Clic.

Je pense à tout ce que j'aurais pu faire, à toutes les vies que j'aurais pu vivre, à la réincarnation. Je pense que je voudrais aller au Tibet, que je voudrais léviter, me promener en tapis volant, me confondre dans le yin, le yan, le yen, le n'importe quoi.

Clic.

Je pense que j'aurais pu être aussi bien bouddhiste que chamelier ou navigateur solitaire, naître en 1704 ou en 415, être plongeur sous-marin et découvrir un trésor à Santa-Cruz.

Clic.

Je pense que j'aurais pu naître à Madagascar ou à Hawaï. Ou à Monaco : c'est si difficile d'être monégasque.

Clic.

Je pense que je n'ai jamais dansé dans les rues de Rio de Janeiro pendant le carnaval.

Clic.

Je pense que j'aurais pu être une vache, aussi.

Clic.

Je pense que je n'aurai jamais joué de la batterie dans un quartette de jazz et ça me désespère.

Clic.

Je pense que je n'ai jamais chassé l'éléphant ou le mammouth, que je ne me suis jamais battu contre un crocodile.

Clic.

Je pense que je n'ai jamais organisé de vastes fumisteries, ni de réseau d'espionnage ou de trafic de la drogue.

Clic.

Clic.

Anna, ça y est : une grande pensée. Pose ton front sur le mien, Anna, et regarde un peu. Une idée noir foncé.

Anna, c'est terrible. Nous nous imaginons toujours que la vie est une chose, telle chose, cette chose-là et pas une autre, et qu'elle doit être vécue de telle façon et pas autrement. Nous ne nous imaginons pas que nous pourrions être notre voisin, ou un gardien de phare, ou un constructeur d'avion, ou un pilote d'essai, et voir les choses tout autrement, et vivre tout autrement. Nous vivons de telle façon en nous imaginant que c'est la seule façon de vivre, alors qu'il y en a des milliers d'autres, et peut-être des milliers encore dont nous ne soupçonnons même pas l'existence.

Nous vivons la vie de cette façon, telle façon, cette façon-là et pas une autre, et inévitablement la vie prend cette forme, telle forme et pas une autre. Et nous croyons que la vie a véritablement cette forme-là, alors qu'en réalité elle ne la prend que pour nous correspondre, car elle est caméléonesque. Et si nous vivions d'une autre façon, la vie se ferait un plaisir d'être différente, de rompre la monotonie quotidienne, et d'être telle autre chose, telle autre chose là ou ailleurs, et n'importe quelle autre selon notre bon vouloir, car nous ne vivons que dans l'apparence.

Clic.

Nous vivons grâce à un vieil élan que nous avons reçu dans la nuit des temps, sans rien voir, sans savoir où cela nous mènerait, et nous nous y conformons sans presque jamais oser dire un mot plus bas ou plus haut que l'autre. C'est terrible, Anna, nous n'inventons plus rien, et tout est fini n-i ni avant de commencer.

Clic.

Il faut dire pour notre défense que la nature ne nous a pas aidés : nous sommes tous faits sur le même modèle. J'ai deux pieds, tu as deux pieds, il a deux pieds. Et puis tout ce qui nous entoure, la terre, les fleuves, les montagnes, la couleur des arbres, est aussi immuable. Si nous nous levions un matin avec la nature en mauve et rose, ou en jaune et rouge, au lieu de l'éternel bleu et vert, ce serait déjà plus drôle. Mais c'est une bien mince défense, parce que nous sommes là justement pour tout voir autrement, de profil, à l'envers ou à l'endroit, ça n'a pas d'importance, la tête en bas sur les trapèzes ou en faisant la culbute pour que la terre tourne. Eppur si muove. C'est pour cela que nous pensons, que nous avons du plomb dans l'aile et de la matière grise dans la tête. Et de l'acier trempé.

Clic.

Tout à coup, les singes, les chiens, les arbres se mettent à penser, les maisons même, les autobus, les murs de briques. Il n'y a plus de raison pour travailler de telle heure à telle heure et se lever le matin : l'autobus aura peut-être décidé de ne pas venir, ou le mur de briques de bloquer la rue. Toute la vie est chambardée, on peut tout à coup s'étendre au soleil au milieu du trottoir parce que c'est bien plus reposant.

Clic.

Par exemple, moi je suis amoureux d'une libellule et mon voisin le boa constrictor est marié à une trottinette. Alors je dis : « J'ai deux pieds, tu as six pieds, elle a deux roues, il n'a pas de pied du tout ». On ne peut même plus conjuguer, parce que les conjugaisons, le langage, ne sont qu'une habitude, une mauvaise habitude. Assueta vilescunt.

Clic.

Alors c'est merveilleux, Anna, parce qu'on est tous fous, complètement fous, digne digne dingue dongue, pour que notre tête n'éclate pas comme un ballon, et on s'amuse, on peut rire, Anna, on peut rire!

Crac!

22. Delirium très mince

Bon réveil ce matin — salué la Tartentiaire, mon voisin.

Grande journée à moi tout seul — je la prends par la main et peigne à longs gestes ses cheveux blonds et joyeux. — Grande journée comme une grande fille de quatorze ans — qui se prend et ne se prend pas au sérieux — selon l'humeur du moment. — Grande journée amoureuse au fond du cœur et au bord des yeux — je te parle comme si je t'embrassais à chaque mot. — Grande journée étendue — étalée à travers champs — grande journée prête à jouer — à aimer et à faire soleil. Partons la mer est belle et la fille aussi.

Croisé d'abord un hôpital — une fleur à la pouponnière — puis ensuite un cimetière — une larme à la bretelle. Je vole à tous tes rendez-fous, bondissant sur mes pieds comme sur des ressorts — et heureux de l'heureux sort qui t'a mise sur mon chemin. Je n'ai jamais sauté aussi haut de ma vie — à peu près la hauteur des deuxièmes étages — et je regarde par les fenêtres de jolies filles qui s'éveillent — et je leur offre une fleur du bouquet que j'ai à la main. Émues elles s'appuient à la croisée et me regardent bondissant — m'éloigner d'elles à tout jamais comme un éclair d'or et de sang. Car j'ai mis ce matin — pour être plus agile — mon veston à poil jaune et mon pantalon rouge — et ma cravate au vent bouge aussi toute verte. — J'arriverai sans doute avec dans mon bouquet — moins de roses pour toi mais le long de ma route — des amies par milliers qui m'enverront la main — comme autant de pigeons sur le rebord des toits. — Ma grande journée folle — j'ai cueilli au clocher le plus haut de la ville — le coq le plus moqueur que l'on puisse trouver — et qui sur mes conseils s'est déguisé en fleur. — En fleur de pommetier — et quand il sera fruit, il sera sans pépin — et qui sera surpris? — c'est l'organisateur du concours horticole — où en un tournemain j'aurai le premier prix.

Mais cela je m'en fous, j'accélère ma course — je traverse la ville, tu m'attends en souriant — à l'autre bout du monde. Je t'aperçois déjà — en faisant de ma main des lunettes d'approche. — Un vol de jeunes filles me dépasse à main droite en riant aux éclats — mais devant cette insulte je fais un bond si haut qu'elles en ont le vertige — et je ris à mon tour en leur lançant les tiges qu'il reste à mon bouquet. — Je fais du vol plané et j'atterris enfin — sur le balcon tout blanc où tu ris de me voir.

On n'est jeune qu'une fois et moi c'est aujourd'hui.

« Mais quel bon vent t'amène? », dis-tu en m'embrassant. — C'est le vent des Tropiques et des Aléoutiennes — des Îles sous le Vent et le vent des Moussons — le simoun des déserts, le shinook des montagnes — et l'ouragan Anna car je viens de partout et rien ne me résiste.

J'ai franchi une fois — pour rire évidemment — le grand tromblon d'argent dont se servait le roi — pour monter en haut des poteaux téléphoniques — et deux fois plutôt qu'une je l'ai fait répéter — avec un œil cynique malgré le clair de lune — des vers que j'ai choisis en allant à la pêche — avec une marquise dans une anthologie — derrière son château. La quatrième fois je l'ai laissé partir — mais il voulut rester — et depuis lors le roi — s'il n'est pas mon cousin est mon meilleur ami.

D'ailleurs trois jours plus tard quand je t'ai rencontrée — tu en parlais toi-même avec ton épicier.

23. Digne digne dingue dongue

Espèce de folle,

Espèce de grande imbécile aux yeux d'or,

Je t'aime, aime-moi, sinon je suis mort. Viens me voir. Je te casserai sur la tête l'argenterie totale de ma vieille tante pour que tu te souviennes des jours heureux où je ne te connaissais pas. Je te déteste. Si tu oses seulement montrer le bout de ton nez, je l'embrasse et le mords jusqu'au sang, et je te traîne par les dents jusqu'à mon lit où je te fais subir les derniers outrages.

Tu me fais enrager, tu m'énerves. N'essaie pas de t'approcher de moi, sioui je te prends par la peau du cou et t'embarque sur le premier bateau en partance pour n'importe où ailleurs que nulle part out of this world.

As-tu compris, tête de noix?

Salut!

P.S.: Pense au point-virgule que je t'ai demandé, comme je te connais tu l'oublieras à la première occasion en-dessous d'un pont suspendu.

Dongue.

FEU D'ARTIFICE

300,000 personnes se sont rassemblées ce soir pour assister au feu d'artifice de tes yeux. La foule a envahi la tribune d'honneur et fait un mauvais sort au président de la soirée qui voulait te garder pour lui seul. C'est le moment que choisit le prince Gris pour proposer au peuple sa contre-révolution, mais personne ne l'écoute puisque déjà tu t'es approchée de l'estrade et en gravis les marches comme la marée montante. Tu as des jambes longues comme des rivières et nues jusqu'à la limite permise c'est-à-dire un peu plus haut que les épaules. Une voix crie dans la foule : « À bas la décalcomanie ! ». Tout le monde répète sans l'ombre d'un doute, et toi tu continues à marcher si bien que tout le monde s'identifie à tes mollets, à tes genoux, à tes cuisses, et, le souffle court, flotte et monte avec toi jusqu'à la scène illuminée, mêlé à ta chair et à tes muscles. Tu t'installes au beau milieu de l'espace comme une planète, et regardant en même temps chacun dans les yeux, tu es spectaculaire. La moutarde monte aux nez. Dogne. Tu t'étires comme si tu t'éveillais, et le metteur en scène t'apporte un café au lait et les journaux du matin. Tu t'étires de plus en plus et les pointes de tes seins font voir des étoiles à trente-six chandelles en habit de cérémonie. Maintenant tu es aussi grandiose qu'une abstraction au troisième degré. Les gens jappent. Alors tu te mets en mouvement et ton ventre frissonne. Dans l'assistance, c'est la chair de poule. Tout se confond avec ta chaleur et l'eau qui perle sur ta peau comme si tu sortais de la douche lorsque le rideau s'ouvre. La conscience populaire n'est plus qu'un immense indicatif présent. Les fauteuils se tordent les bras et les coudes craquent de bonheur. Tu deviens entièrement phosphorescente et l'on commence à danser sur ton corps par petits groupes. Alors tes yeux lancent des éclairs de chaleur, le manège tourne, le sang tremble, et on s'enlace jusqu'à la pluie torrentielle qui tout à coup s'abat sur la terre comme un immense bain de Jouvence, comme du jazz.

CHASSE À COURRE

Mais ce n'est pas fini. Les puissants de ce monde en oublient leur vocabulaire des grands jours et crient avec le Grand Être Total: « Digne dingue digne dongue! » Tout ne marche plus qu'à merveille, tout ne se déplace plus que sur la pointe des pieds, en roulant des épaules comme des cylindres bien huilés. Ta tête est si belle qu'on ne la voit plus que par parties, entre deux clins d'œil. Ta bouche s'entrouvre et une fleur de nénuphar vient s'y poser. Tes yeux luisent mais ne regardent plus qu'au-dedans de toi les frissons qui te parcourent. Dans les rues, plus une habitation n'est debout, plus un toit ne subsiste. Les vitres se roulent sur elles-mêmes et se déplacent comme des billes ou comme des grêlons. La planète Terre hoquette, les derricks pompent l'huile par tonneaux, jusqu'à s'en dégoûter. Des gens se provoquent en duel parce qu'ils s'aiment et se percent le ventre pour mieux se le prouver. Toi tu grandis comme le plus haut sommet du monde, tes reins se cambrent, ton ventre se tend vers l'avant. La chasse à courre galope le long de tes cuisses. La neige fond et les océans émigrent vers le sud. Les pierres abandonnent leur dernière pudeur et se déshabillent. Le bois se fait tendre, le cœur sauvage. Les couleurs du cinémascope ruissellent dans les rues, les vapeurs du vin s'amoncellent en nuage, se condensent et retombent dans les champs où le soleil s'aplatit. La foule se précipite à l'abri sous tes cheveux. Tes yeux émergent des nuages, dans les ténèbres interstellaires. Sous tes cheveux, l'obscurité regorge de cris et de murmures. La cataracte du Niagara s'engouffre entre tes jambes. Tes yeux titubent et se ferment, la terre se fend en plein milieu comme à l'origine des temps, et tout, peu à peu, y est enseveli dans un soupir . . .

Aaaaaaaaaaaaaaaaaa ...

Quelle belle chose que l'immensité! ...

Soulagés de nos corps, nous nous parlons maintenant d'âme à âme. Les Mexiques de tes lèvres dérivent
partout, déliés et souples, à travers la vapeur bleue de
nos rêves ...

Quelle belle chose que l'immensité! ...

Nous ne sommes rien d'autre que le Gulf-Stream,
rien d'autre que la transparence, rien d'autre qu'un petit
globe d'air pur alentour de notre pensée la plus profonde,
rien d'autre qu'un végétal aux immenses fleurs blanches,
rien d'autre que le Paradis Terrestre ...

Anna ...

Anna ...

Anna ...

24. Digne digne dingue dongue — suite

Un peu plus tard encore, c'était une question d'herbe tendre et de verts pâturages. Tu prétendais qu'il fallait choisir son bonheur, et je te répondais que ce n'était que partie remise. Nous avions tous les deux raison. Le soleil glissa entre les branches et je rencontrai un prophète. Il peignait des aquarelles étranges qu'il signait d'un nom faussement espagnol. Il me dit à peu près :

— « Mon cher monsieur, mon ami, je suis complètement fou, permettez-moi de vous interrompre. »

— « Qu'à cela ne tienne », répondis-je.

— « Je suis complètement fou, je le répète pour la cinquième fois, complètement fou », et il pleurait à chaudes larmes.

— « Cela ne serait rien si vous l'étiez vraiment », lui dis-je avec compassion.

Il me regarda et cessa de pleurer.

— « Vous m'avez bien compris, vous êtes le premier. Mais que puis-je y faire, que puis-je y faire, que puis-je y faire ? Je voudrais qu'une grande banderolle soit tendue entre les quatre horizons et qu'on la jette à droite toutes les nuits pour traquer les raz-de-marée et les acculer au pied du mur ».

— « Je n'en crois rien et d'ailleurs cela est loin d'être à la mode ! »

— « Vous avez raison, ajouta-t-il encore. Mais regardez plutôt ». Dès lors il rembobina la dernière partie du film et me la projeta une seconde fois. On n'y voyait que des chiffres et parfois un homme nu qui cassait des réveille-matin par milliers, mais cela ne me paraissait pas évident. Une séquence surtout retint mon attention : deux jeunes filles se parlaient doucement et semblaient attendre quelqu'un. Mais la post-synchronisation était fort mauvaise. Je lui dis de chercher de ce côté, mais il fixait obstinément la pointe de ses souliers qui ne s'en souciaient guère en murmurant : « Digne digne dingue dogne dingue dongue digne. »

— « Écoutez, lui dis-je, vous m'êtes fort sympathique, mais ce n'est pas de cette façon que vous vous en sortirez. »

— « Qu'importe la façon si je bois dans mon verre », fut sa réponse.

— « Alors je n'ai rien à ajouter ».

— « Ne le prenez pas sur ce ton, ne le prenez pas sur ce ton, je vous en prie, répliqua-t-il. Ne le prenez ni de haut ni de bas. Prenez-le de profil, plutôt. Regardez-le dans les yeux, dans le nez. Fermez-lui la bouche avec un argument, un pot de colle, un biscuit empoisonné. Clouez-lui le bec avec votre marteau, vissez-le lui avec un tournevis. Prenez-le de biais comme une voie ferrée, comme un cheval. N'essayez pas de jouer au plus fin. Tirez votre épingle du jeu. Mettez cartes sur table. Prenez-le dans le sens de la longueur. Coupez-lui les cheveux en quatre ou mettez votre charrue devant ses bœufs. Écoutez l'appel du large : prenez-le dans le sens de la largeur. Ou alors ne le prenez pas du tout, laissez-le tranquille mais n'insistez pas. »

— « Bon, bon, fis-je, ainsi à votre avis l'homme doit marcher comme une échelle ? »

Il en fut estomaqué.

— « Ah! répondit-il, vous éclairez ma lanterne et mes vessies natatoires. »

— « Cela y paraît déjà », remarquai-je intelligemment.

— « À l'avenir, Monsieur, je vous le promets, croix sur mon cœur, droit sur ma sœur, je ne serai plus celui que l'on aurait pu croire que j'aurais voulu aimer avoir été, mais bien celui qu'on ne pense pas que je puisse avoir souhaité désirer pouvoir devenir. »

Et véritablement sincère, il ajouta:

— « Entre nous maintenant, Monsieur, c'est à la digne à la dogne! »

Je m'en étais fait un ami. Je lui fis un salut militaire, nous hissâmes nos couleurs et il s'éloigna. Je regardai un instant flotter au sommet du mât le vieux pantalon que j'y avais grimpé; sur l'azur vert pomme du ciel printanier, il détachait clairement sa flèche rouge, comme si les nues célestes avaient été rapiécées par l'aiguille invisible de quelque archange.

QUEL CARCANGE! QUEL CARCANGE! Dongue dongue. Je n'ai pas le temps d'y penser. Déjà apparaît à l'horizon le nuage de poussière que soulève devant elle l'armée jusqu'aux dents de Buffalo Bill. Je crie aux hommes qui m'entourent: « Sortez vos sarbalettes! Tous aux oripaux! » Mes braves aussitôt forment un cercle autour du chariot couvert. On n'entend plus partout que des « Ksss! Ksss! » sonores. Déjà au fond de la plaine le nuage se précise. Le bruit des galops augmente. Galops! Galops! Buffalo Bill est en tête: je le distingue facilement dans mon rétroviseur. Sa voiture est truffée de champignons qu'il écrase rageusement. Je le coince dans ma ligne d'or, d'encens et de mire. Pendant ce temps, mes

solides gaillards ont entrepris de démolir un à un nos
ennemis. Ceux-ci tournent à toute vitesse autour du
cercle que nous formons. La poussière me prend à la
gorge, le bruit m'étourdit, le soleil m'aveugle. Mes barbus
mettent des bâtons dans les roues des chevaux. La pro-
cession tourne à pleine vitesse. C'est saint Jean Baptiste
qui ferme la marche, tête sous le bras, avec son épouse
Fabulous Bubbles. Les chevaux tombent comme des chevaux sur la soupe échaudée, mais leurs cavaliers ne crai-
gnent pas l'eau froide. Ils se relèvent et attaquent de pied
ferme. Heureusement, nos tue-mouches font grand effet.
Tout à coup j'entends crier derrière moi: « Attention! »
Je me retourne. Dongue. Buffalo est là. Dongue. Je lui
jette sur la tête le grand filet de pêche que m'a légué mon
grand-père: nous avons maille à partir. Buffalo s'em-
mêle; je m'emmerde. Mes soldats crient victoire. Trop
tôt! La peau de l'ours n'est pas encore tuée. Dongue dongue dongue. Qu'à cela ne tienne! Nous tenons leur chef.
La Terre s'ouvre et engloutit tout ce qui traîne sur elle.
Seuls Bill et moi en réchappons. Bill bout de colère, empê-
tré dans son filet. Juste à temps. Je le verse dans ma
tasse. Le thé me calme. Je le laisse infuser, je le laisse
couler dans mes veines par grandes gorgées. Mon sang
se roule en petites billes comme du mercure. Je l'entends
frétiller à mes articulations. Mon système circulatoire me
monte à la tête, il me saute au cerveau. Il m'apparaît
comme un vaste complexe binaire hyperbolique et para-
bolique, un ensemble de circuits imprimés, avec des val-
ves et des vannes s'ouvrant et se refermant, mais tout cela
est chaud et bon.

À ce moment précis la terre s'ouvre à nouveau et mes
braves en ressortent portés sur la plateforme d'un ascen-
seur. Ils ont de longs gants blancs et des robes-fourreau.
À vrai dire, ce sont des femmes, de faibles femmes, de
celles dont l'Évangile ne parle pas. Des femmes si faibles

que tout à coup elles perdent connaissance, plient sur leurs jambes, et jonchent le sol de leurs cadavres comme les blés fauchés. Sous mes yeux, elles se transforment en pain quotidien, en croûte terrestre. Oh ma mie! Un grand vent se lève et balaie le terrain. Mes femmes battent de l'aile comme des oiseaux blessés et s'envolent en quinconce. Le vent les déporte jusqu'au Pôle Nord et redescend s'asseoir près de moi. Je lui caresse la tête et l'abat d'un coup de feu. Dongue. Quatre chinois hirsutes foncent sur moi pour le venger. Ce sont les Cavaliers de l'Apocalypse. J'hésite un instant, un instant de trop. Leurs longs sabres s'abattent sur moi et je meurs. Mais je ressucite aussitôt et cette fois je ne perds pas une seconde: je les foudroie du regard et les éparpille d'un revers de la main. Ils me regardent, surpris. Ils reculent, se cachent la tête dans le sable et étouffent. Tant pis: l'Apocalypse n'aura pas lieu, ni plus rien. Dongue.

Je suis trop seul maintenant. Je lance une de mes côtes flottantes en la tenant par un bout comme un boomerang. Ève m'apparaît, Ève m'appartient. Ma vie ne sera plus ensuite que *saisons et châteaux*.

Non! J'ai parlé trop vite. Mon premier fils est un singe, mon second cétacée, mon tout n'est plus qu'une plante carnivore. J'ouvre avec mes dents le ventre qui enfante de telles horreurs. La plante carnivore dévore la baleine et recrache le pépin Jonas. Jonas donne naissance à Seth, Seth à Huit, Huit à Nheuf, Nheuf à Cinqh, Cinqh à Seth et ainsi de suite. À minuit, la fin de sa postérité n'est pas encore en vue. Le singe sans plus attendre avale la plante carnivore. Il ne reste maintenant que lui et moi, seuls contre tous. Nous complotons à la faveur de la nuit épaisse qui depuis des millénaires a envahi la planète. Pendant leur sommeil, nous arrachons la tête à chacun des membres de la descendance infinie de Jonas, puis nous tirons les rideaux. Le soleil s'engouffre dans la caverne. Les hommes se lèvent et disent: « J'ai faim! » Ils partent chasser et reviennent chargés d'aurochs. Ils en nourrissent leur tête, mais notre plan fonctionne: coupée du tronc, la tête ne peut plus le nourrir. Le corps défaille, faiblit, s'assèche, pendant que la tête s'enfle sans arrêt. Deux jours plus tard, celle de saint Jean-Baptiste éclate. L'explosion provoque une réaction en chaîne. La caverne s'emplit du staccato des mitraillettes. La race humaine disparaît pétard à pétard.

Le singe et moi sommes seuls à nouveau. Nous sautons de joie et retombons en enfance sur nos quatre pattes. Digne dongue.

25. Le désespoir après la tempête

Ma tête est tellement pleine de dingues dongues maintenant que plus un seul petit mot ne réussit à s'y mettre les pieds dans les plats. Il n'y a plus que des tams-tams, des batteries, des bongos, des cymbales, des roulements de tambours ni trompettes.

Si j'avais du talent pour la musique, Anna, je serais un grand musicien.

Ce n'est pas tout à fait ce que je voulais dire, mais c'est sorti comme ça, malgré moi. C'est d'ailleurs une pensée admirable. Le génie, comme tu sais, est le hasard de la technique et la technique de ce hasard. Nous en avons maintenant une preuve de plus : gardons-la en réserve pour les jours noirs de l'intolérance et de l'inquisition.

Ce que je voulais dire, Anna, c'est que si je réussissais à extérioriser la musique que j'entends dans ma tête, ce serait une musique merveilleuse. Je suis convaincu que tu aimerais ça. J'ai envie de crier tant ça m'exaspère de ne pouvoir la chanter, ou la jouer à la guitare électrique, ou en battre le rythme sur ta tête et ton ventre comme tu détestes tant que je fasse.

Ça me rappelle Fantasio, tout à coup, qui se désespère en pensant qu'il faut pratiquer la trompette toute sa vie pour savoir en jouer.

Moi c'est de la cornemuse que je jouerais. J'ai envie de relire cette phrase de Fantasio et je vais à la bibliothèque. J'en ai assez d'être assis d'ailleurs. Je suis plein de musique, de bruit, de rythme, je voudrais danser comme un sorcier africain qui exorcise un mort. Je voudrais tant te dire comment c'est dans mon cerveau, tu n'en reviendrais pas.

Mon cerveau est très profond. Physiquement. Ne me fais pas dire ce que je n'ai pas dit. Spatialement, si tu veux. Il est en trois dimensions, en cinérama, il est rempli de perspective, comme un mur avec un grand trou au milieu à travers lequel on voit un autre mur avec un autre trou au milieu et ainsi de suite jusqu'à ce qu'on ne voie plus rien du tout. Mon hémisphère droit à lui seul est une merveille du genre : quand je le regarde par un bout, c'est comme si je regardais dans un paysage. Mais un paysage composé uniquement de bruits en couleur. Au premier plan, il y a des dignes dongues rouges bordés de rose fluorescent et qui sautent sur un rythme rapide. Derrière, il y a une immense pluie, comme un rideau transparent, comme les chutes Niagara vues de l'arrière, mais ce sont des coups de cymbales longs et lents, soutenus, prolongés, diluviens, intarrissables, qui inondent tout et qui tremblent comme des feuilles de peupliers au vent. Et derrière ce rideau — ... tu vois bien que c'est indescriptible.

J'ai retrouvé la phrase de Fantasio :

> *Quelle misérable chose que l'homme! ne pas pouvoir seulement sauter par sa fenêtre sans se casser les jambes! être obligé de jouer du violon dix ans pour devenir un musicien passable! Apprendre pour être peintre, pour être palefrenier! Apprendre pour faire une omelette! Tiens Spark, il me prend des envies de m'asseoir sur un parapet, de regarder couler la rivière et de me mettre à compter 1, 2, 3, 4, 5, 6, 7, et ainsi de suite jusqu'au jour de ma mort.*

Je me désespère Anna. J'aurais tant voulu que les choses se fassent toutes seules, d'un seul coup, simplement à les penser. Je n'aime rien faire, Anna, j'aime simplement avoir fait quelque chose. Je déteste le travail. Souvent, je voudrais que, simplement à regarder un mur, le tableau que j'imagine dans ma tête s'y reproduise trait pour trait, sans effort, absolument identique à l'idée que j'en ai.

Pourquoi est-il si difficile de réaliser ce qu'on imagine? Parfois, j'ai l'impression que si je me convainc vraiment profondément que mon truc va fonctionner, il va fonctionner. Alors je regarde le mur fixement, en voulant de toutes mes forces, de tous mes muscles, et je me désespère de ne rien voir apparaître. Parfois aussi je me dis que je suis capable de léviter, ou de voler, et j'essaie de toutes mes forces, mais je n'en suis jamais capable. Ou bien je suis convaincu que je sais jouer du piano, j'essaie de ne pas penser que je ne sais pas, je joue, et je m'aperçois que c'est aussi mauvais que d'habitude. Pourquoi Anna? Pourquoi n'avons-nous pas la science infuse? Pourquoi notre volonté ne peut-elle pas tout vouloir? J'essaie de me dédoubler et d'envoyer mon image près de toi, où tu es en ce moment. La vois-tu, Anna? Je sais bien que non, mais je voudrais tant.

Au fond, c'est peut-être simplement parce que je ne sais pas comment m'y prendre. Je ne sais même pas comment vouloir de toutes mes forces. Mes muscles se tendent, mais il y a toujours de petites forces qui restent en arrière des autres et qui me regardent faire.

Il faudrait que je parvienne à l'inconscience absolue, mais comment peut-on parvenir consciemment à l'inconscience absolue? Et qu'est-ce que ça donne d'être inconscient si on ne peut s'en rendre compte, si on ne peut même plus être conscient pour savoir qu'on est parfaitement inconscient?

Désespérons-nous, Anna.

Désespérons-nous car tu ne sauras jamais ce qu'était cette musique, ce tableau que j'ai inventé. Tu ne sauras jamais ce que j'ai ressenti à tel moment, en faisant telle expérience. Tu ne sauras jamais la crispation qui s'empare de moi lorsque j'essaie de léviter, de voler ou de devenir invisible et que je n'y parviens pas, et que je me retourne inconfortablement dans mon cercle vicieux.

Tu ne sauras jamais ce que je pourrais être si j'étais autre que je ne suis, tu ne vivras jamais les mille rêves que j'ai vécus, tu ne vivras même jamais la vie que nous partageons et je ne vivrai pas la tienne. Tu ne sauras jamais ce que je sens, ce que je suis, et je n'en saurai pas plus long de toi.

Tu ne pourras jamais qu'imaginer ce que j'ai pensé de toi le jour où je t'ai rencontrée, et ce que j'ai pensé avant ce jour.

Je ne pourrai jamais qu'imaginer quel fut ton plus gros chagrin d'enfant et comment depuis lors tu as pu le retrouver presque identique à travers ta vie avec moi.

Déjà notre enfance nous est étrangère.

Tu ne sauras jamais pourquoi j'étais si mal à l'aise le 7 janvier en te remerciant pour un livre que tu m'avais prêté, même si je t'ai dit depuis ce qui m'avait troublé.

Je ne sentirai jamais exactement ce que tu as ressenti en voyant trois immortelles dans un vase de terre cuite au centre d'une nappe blanche, et pourtant nous savons que nous aimons tous deux les immortelles.

Je ne saurai jamais pourquoi tu as soudain l'impression d'avoir déjà vécu tel moment de ta vie, bien qu'à d'autres moments j'aie aussi cette impression.

Tu ne sauras jamais pourquoi je t'aime même si tu m'aimes aussi et tu ne sauras pas ce que je ressens lorsque tu me le dis et je ne saurai pas pourquoi tu m'aimes.

Désespérons-nous, Anna, puisque nous ne serons jamais identiques et que c'est ce que nous cherchons toujours, depuis la nuit des temps, depuis Adam et Ève, et qu'il n'y a que cela qui pourrait nous rendre heureux. Désespérons-nous puisque l'individu est un péché contre l'espèce et qu'à cela il n'y a pas de solution.

Désespérons-nous, Anna, de tout l'ineffable que nous n'exprimerons jamais, même par des voies détournées.

Désespérons-nous, Anna, même si notre désespoir est petit d'être insurmontable, désespérons-nous bien car il est profond d'être éternel et de tous les instants.

. . . Et pourquoi ne nous désespérerions-nous pas aussi de ne savoir voler et de ne pas avoir de queue préhensible? Et de voir les sauteurs à la perche si disgracieux lorsqu'ils retombent sur le sable après s'être élevés si peu haut au prix de tant d'efforts? Et de ne pouvoir retenir notre souffle pendant des heures pour nager sous l'eau, et de ne pouvoir passer à travers les murs bien que nous soyons faits de plus de vide que de matière? Et de courir le mille en 3 minutes 56 secondes .64 et non .63 ou .62, ou encore en 3 minutes 55 ou 53, ou même en 2 minutes et pourquoi pas à la vitesse de la lumière?

Désespérons-nous, Anna, de ne pouvoir faire tout ce que nous voulons, et d'être ce que nous sommes alors que nous pourrions être tant d'autres choses.

Désespérons-nous d'être seuls alors que tu pourrais être ici . . .

Mais cela est différent. Tu n'es pas ici parce que tu n'as pas voulu y être. Je t'accuse, Anna, de n'être pas ici par ta faute et sans raison valable. T'es-tu demandé pourquoi tu ne pouvais être ici? Est-ce en vertu d'une impossibilité physique?

Mademoiselle Anna, croyez-vous qu'une invitation à je ne sais quoi soit une raison suffisante pour abandonner une personne que l'on aime? Croyez-vous qu'en dehors des raisons d'impossibilité physique il existe des motifs qui puissent nous empêcher de faire ce que nous voulons?

MADEMOISELLE ANNA, OÙ ÉTIEZ-VOUS LE SOIR DU 13 AVRIL?

Si vous n'avez pas d'alibi valable à nous présenter, ne croyez-vous pas qu'il soit de notre devoir de vous accuser de faire preuve de mauvaise volonté?

N'avez-vous pas honte, Mademoiselle, le rouge de l'humiliation n'empourpre-t-il pas vos joues?

Et puisque évidemment et comme d'habitude vous n'avez rien à dire pour votre défense, nous allons avoir le plaisir de vous dresser ici et sur le champ un petit procès-verbal pas piqué des vers.

PROCÈS-VERBAL

Attendu que et étant donné que et selon l'article n° 285 de la loi zivetée sur l'abandon d'une personne de l'autre sexe par une personne du sexe opposé pour une période de plus de quatre (4) heures et demie (½), conformément à l'esprit de la Déclaration des Droits de l'Homme y Compris la Femme et en vertu des dispositions prises à cet effet par la Cour et eu égard à la qualité des personnes ci-devant présentes et sous-mentionnées, il est arrêté que MADEMOISELLE ANNA, (également arrêtée, soit dit en passant), sans domicile fixe, est condamnée à verser au plaignant le montant total par lui réclamé en réparation pour les offenses, les blasphèmes, les sacrilèges et les dommages encourus à la suite de sa longue solitude, dommages consistant principalement en une sévère injure morale compliquée d'une névrose dûment constatée et d'une grippe espagnole, et en un affaiblissement physique général consécutif à une privation de nourriture substantielle attendu que je commence à avoir drôlement faim, moi.

Évidemment, je pourrais aller manger, semble-t-il, mais j'ai trop faim pour ça, vois-tu. J'aurais à peine la force de me traîner jusqu'à la cuisine et de m'évanouir en m'accrochant à la poignée du réfrigérateur. À bien y penser, je ne sais même pas si j'aurais la force de m'évanouir. J'ai déjà passé le cap, la limite, je me suis imprudemment engagé sur le chemin sans retour de la sous-alimentation. Si tu ne viens pas, Anna, je n'en reviendrai pas non plus.

J'ai faim!

J'ai tellement faim que si ça continue je ne m'ennuierai même plus de toi.

Il est 4 heures, que fais-tu?

Si tu ne reviens pas, je vais faire une grève de la faim, une manifestation, un blocus continental de mon estomac. Je vais attirer l'attention du monde sur mon nombril. Qu'est-ce que tu attends pour répondre à mes revendications? Qu'est-ce que tu attends pour négocier?

Espèce d'antisyndicaliste bourgeoise et réactionnaire! Je vais faire une grève du mouvement, je te préviens, je ne bougerai plus un pouce, je ne bougerai plus le petit bout du doigt. Je vais faire une grève de la vue, une grève de l'ouïe, une grève de l'odorat.

Et si tu reviens trop tard, je vais faire une grève de la parole, une grève de l'amour, une grève du baiser et une grève de la caresse.

Toutes en même temps. Tes transports seront complètement paralysés et moi aussi. Je vais me mettre en grève muscle par muscle, c'est mon premier et dernier avertissement. Je vais me mettre en grève sentiment par sentiment: je ne m'ennuierai plus, je ne serai plus triste, ni inquiet, ni tendre, ni amoureux, jusqu'à ce que je t'oublie complètement, jusqu'à ce que je ne ressente plus rien à ton égard.

Il sera bien temps de revenir alors, de me dire que tu m'aimes. Je te prendrai par la peau du cou et je te mettrai à la porte, comme un chien. Tu seras bien avancée. Qu'est-ce que ça nous aura donné que je t'aie aimée, que je t'aie parlé, que je t'aie d'oreiller? Qu'est-ce que ça nous aura donné? Quels avantages en tireras-tu, d'avoir ri, d'avoir cru être heureuse? Je te jetterai dehors sans même un regard, sans même pouvoir me souvenir d'une seule des raisons pour lesquelles j'avais plaisir à te voir.

26. Des petites salopes de ton espèce

D'ailleurs je n'avais aucun plaisir à te voir. Je ne te gardais que pour me satisfaire et parce que tu savais faire la cuisine et que tu ne sentais pas trop mauvais. Quels sentiments voulais-tu que j'éprouve pour toi? Tu n'étais qu'un objet, et les objets qui ne servent plus je n'ai pas besoin de te dire ce qu'on en fait. Des petites salopes de ton espèce, il en traîne à tous les coins de rue, je peux en emplir la maison si je veux, je peux en avoir dix pour m'enlever mes souliers et dix pour m'apporter mes pantoufles. Qu'est-ce que tu crois? Que j'ai besoin de toi peut-être? Pauvre folle. Ce n'est pas de toi que j'ai besoin, j'ai besoin de quelqu'un, c'est tout, que ce soit toi ou une autre, ou un robot ou un chien savant, qu'est-ce que tu veux que ça me fasse si les repas sont prêts à l'heure. Tu es comme les autres, mets-toi bien cela dans la tête. Ce n'est pas parce que tu as les cils plus longs ou les lèvres plus minces que je vais m'attacher à toi. Si tu te croyais indispensable, détrompe-toi. Ce n'est pas parce que je t'ai dit que tu étais jolie et que je t'aimais que je vais me jeter à l'eau pour te sauver. Les autres aussi sont jolies et les autres aussi je les aime. Tes romans d'amour illustrés, tu peux bien les jeter par la fenêtre et suivre le même chemin qu'eux pour voir si tu tombes plus vite ou moins vite. Ce n'est pas moi qui vais aller faire le matelas pour amortir ta chute. Dans la vie c'est chacun pour soi. Il n'y a pas de chance à prendre. Si tu as envie de mourir, libre à toi. Mais ne t'imagine pas que ça va changer quelque chose chez ceux qui restent. La vie continue, et ce n'est pas du cinéma. La dernière bobine et le happy end ne sont pas encore en vue. On te trouvera une rem-

plaçante et deux jours après on ne fera plus la différence. On aura oublié ton nom et quand on fera
cuire le steak ce ne sera pas en se demandant si
tu l'aimais mieux saignant ou bien cuit. Si tu ne
reviens pas, c'est comme si tu meurs. Dans deux
jours, il y en a une nouvelle qui attend : elle s'appelle Marie ou Thérèse, elle est plus grosse ou plus petite, on s'en
fout. L'essentiel ne varie pas. Que les assiettes soient
bleues ou vertes, ce sont toujours des assiettes. Et j'aime
autant te prévenir tout de suite que je ne suis pas dans
la mienne. Alors ne t'éternise pas dehors. Moi l'amour
éternel j'ai autre chose que ça à faire. « Ne m'attends pas,
je t'aime », il faudrait que tu te décides. J'attends ou je
n'attends pas. La vie si tu ne le sais pas ce n'est pas
demain qu'elle commence. On est dedans, en plein dedans, il n'y a pas de temps à perdre. Si ça t'amuse de
rêver en couleurs, ne te gêne pas. Mais moi je n'attendrai
pas à la sortie que tu aies fini. S'il y a un nouveau jeu qui
t'amuse, dis-le. On rayera ton nom de la liste et on trouvera quelqu'un d'autre. Pas question de remettre la partie
à cause de la pluie. Dans la vie, il n'y a pas de place pour
les sentimentaux. Va te faire désirer ailleurs si c'est ce
que tu veux. Ici on te prend si tu es là, mais on ne t'at-
tendra pas jusqu'à demain. On ne grimpera pas en haut
des tours pour guetter ton arrivée. Anne ma sœur Anne,
si tu ne vois rien venir, n'insiste pas : ouvre la porte, il y
a une filée qui attend. Prends n'importe qui dans le tas,
c'est tout du pareil au même. As-tu déjà vu les actualités
au cinéma? As-tu déjà vu une manifestation en Chine
populaire? As-tu déjà essayé de distinguer un Chinois
d'un autre Chinois, une Chinoise d'une autre Chinoise?
T'es une Chinoise comme les autres. Les Chinois quand
ils te regardent dans leurs actualités à eux, chez eux, en
Chine, ils ne font pas la différence entre ta voisine et toi.
T'es une occidentale comme les autres, une blanche com-

me les autres. T'es la caricature de ta race comme les
autres, comme chaque Chinois est la caricature de la race
chinoise. Ils ne voient pas plus de raison en regardant
leurs actualités de tomber amoureux de toi ou de ta voisine. Tu as peut-être les yeux plus rapprochés, mais les
centièmes de pouce, à un continent de distance, ils s'en
balancent passablement. Eh bien! moi, je suis un Chinois
pour toi, comprends-tu? Ou bien toi t'es une Chinoise pour
moi, c'est pareil. Tu peux bien te peinturer le tour des
yeux et t'acheter une robe neuve, pour moi ça ne change
pas grand chose. Ce qui compte c'est que tu sois à l'heure.
Et si t'es pas à l'heure, tant pis. Les autres Chinoises n'at-
tendent que ça pour sauter en bas de l'écran. Je te laisse
encore dix minutes, à partir de maintenant. Et surtout ne
te mets pas à pleurer. Quelle importance crois-tu qu'ils
ont tes petits problèmes pour un type comme moi, un
type qui vit à la vitesse de la planète, si tu veux le savoir?
Quelle importance ont pour toi les problèmes de Lu-Song-
Po quand il revient chez lui le soir et qu'il se demande si
sa femme le trompe? Je me fous autant de tes problèmes
que des siens. Ce ne sont pas tes larmes qui vont faire
déborder l'Atlantique, ni même le vase. Ce n'est pas toi
qui vas inonder New-York. T'es pas Marilyn Munroe,
quand même. Quand tu seras Marilyn Munroe, quand tu
inonderas New-York en pleurant, tu auras le droit de dire
que tu es quelqu'un et tu pourras te faire attendre. En
attendant, t'es une Chinoise. Tu ne touches pas à l'ordre
de l'univers, donc tu n'es rien, tu es ridicule, tu ne mérites
pas qu'on s'occupe de toi. Cléopâtre c'était quelqu'un parce qu'elle menait le monde par le bout de son nez. Toi
tu ne le mènes même pas par tout ton corps, par ta mort.
Tu meurs et ça n'a même pas d'importance. Il te reste
cinq minutes, je t'avertis. Je ne devrais même pas te laisser cinq minutes, tu es trop chinoise pour ça. Tu es comme un grain de sable. Pars au vent, la plage est là quand

même. Roule dans la mer, Marilyn Munroe prend son
bain de soleil quand même. Quand tu feras tourner la
terre tu pourras faire des chichis. En attendant, arrive
à l'heure. Et puis j'en ai assez, à bien y penser. Je te laisse
dix secondes. Neuf. Huit. Sept. Six. Cinq. Quatre. Trois.
Deux. Un. Zéro. Salut. Ta fusée s'en va, tu as raté ton
train, tu as manqué le bateau. La prochaine fois, tu sauras vivre. Salut, Chinoise, Françoise m'attend, Marie m'attend, Jeanne m'attend, Marguerite m'attend, Madeleine
m'attend. Moi je ne t'attends pas.

27. Qu'est-ce que je raconte

Qu'est-ce que je raconte, qu'est-ce que je raconte...
Qu'est-ce qu'il ne faut pas entendre, qu'est-ce que tu ne
me fais pas dire...

Retenez-moi ou je fais un malheur. Pose pas de
questions poupée. Hé! Bill, ça flanche au numéro quatre! T'occupe pas l'ami. Qu'est-ce que
vous foutez-là vous deux? Bien mon colonel.
Allez, sortez-moi ça de là et que ça saute. Vous
êtes encore plus jolie quand vous êtes en colère. Qu'est-ce que c'est que cette histoire? Allez les gars, on met les bouts. Les mains en
l'air! Pose ça là ou je t'abats comme un lapin.
Allô BMC 4! Allô BMC 4! Répondez nom de
Dieu! J'en ai marre, là, tu comprends, marre,
marre, marre, marre. Sa robe, sa robe, y a pas
qu'sa robe. Hé! L'étranger! Si je peux te donner un conseil c'est de ne pas venir fourrer ton
sale petit nez dans les affaires de Blake City.
Vous venez souvent vous promener au parc?
Merde les flics! Camarades! Écoutez-moi! L'Empereur s'est emparé de vos terres! Rendez-moi
mon enfant! Sacré vieux Bill, ça fait quand
même rudement plaisir de se revoir. Emmène
la petite avec toi, on réglera son cas plus tard.
D'où est-ce qu'il sort celui-là? Laissez-moi! Laissez-moi! Vous me faites mal! C'est bientôt fini,
oui? Eh bien! mes amis, je propose que nous
portions un toast à la santé des amoureux. Ta
gueule!

Qu'est-ce que je raconte, qu'est-ce que je raconte. Reviens vite, Anna, je délire. J'ai des indigestions intellectuelles, ma mémoire déborde comme un ordinateur qui se détraque et qui se met à parler à tort et à travers.

J'aurais envie de regarder des paysages pendant des heures, en roulant en auto, des paysages sans maisons, sans humains . . . Il n'y a rien de tel pour se laver le cerveau, pour se distraire, pour se détendre. C'est comme une douche, comme un bain, un bain chaud. On se laisse aller, on se laisse faire. On se laisse couler dans le paysage, on regarde sans voir, en ne retenant qu'une impression d'ensemble. On ne voit pas des arbres, des champs, des forêts, on ne voit que l'arbre, le champ, la forêt, comme on voit le ciel. Un immense champ en-dessous d'un immense ciel et parfois l'arbre, plus ou moins loin de la route, plus ou moins gros, plus ou moins feuillu. Toujours, toujours le même paysage, comme l'eau d'un fleuve, les vagues de la mer, toujours le même sans jamais nous lasser, toujours nouveau sans jamais énerver. C'est la vie même qui revient jour après jour, inaltérable, inaltérée, malgré nos efforts dérisoires. La vie toujours à recommencer et reprenant toujours le même cycle, sans nul progrès, sans qu'elle soit une marche vers quelque chose. La vie qui s'achemine de son même pas tranquille vers ce qu'elle était déjà. La vie qui n'est là que pour être là, et sans qu'il n'y ait rien à faire ni pour ni contre elle que d'être là soi aussi. Comme l'arbre est là, avec sa sève, à bourgeonner, à faire ses feuilles, à les perdre et à recommencer. Comme la vague revient, comme le champ s'étale, comme les nuages se forment, se transforment, se déforment et recommencent. Comme j'attends que tu reviennes pour être heureux avec toi comme hier et comme demain jusqu'à cet autre jour où je t'attendrai à nouveau. Jusqu'au jour de notre mort.

28. Decrescendo

Comme tout est calme, Anna . . .

Le temps glisse autour de nous, très lent et lisse,
sans rien accrocher. Le temps glisse sur notre corps comme sur le dos d'un canard, le temps tombe comme la
pluie en longs fils qui ne se détachent pas du ciel.

J'ai trop bu, Anna, trop bu de mots, d'images, de
mouvements, et la tristesse me guette. C'est le désespoir
après la tempête, le lendemain de la veille qui m'assaille.
C'est la fausse lucidité de la fatigue qui m'envahit, et tout
perd son importance, son relief, son goût.

Rien ne me fait plus envie; je ne voudrais que dormir, dormir comme un poisson. Les poissons n'entendent pas un bruit, ils nagent sans faire bouger l'eau et
l'air ne les écrase pas. Les poissons ne pensent à rien
et ne portent pas en eux un désespoir que le moindre
vent éveille. Les poissons n'ont pas besoin de regarder
le paysage pour se reposer : ils vivent dans le paysage et
n'en sortent jamais. Confondus avec lui, ils ne font pas
l'erreur de chercher un bonheur provisoire au-delà de
leur nature ou de leurs forces. Lorsqu'ils sont fatigués,
ils s'arrêtent où ils sont et dorment entre deux eaux sans
faire d'effort pour flotter.

Je voudrais fondre, disparaître dans le temps des
choses, être changé en statue de pierre dont l'œil mort
regarde sans le voir un jardin symétrique où il pleut une
pluie éternelle, un jardin où jamais rien n'arrive.

Je voudrais dormir mais je sais que je ne dormirai pas. Je suis trop nerveux et trop désespéré. Trop reposé aussi. Ma fatigue ne vient pas d'un manque de sommeil mais d'un excès de folie.

Je voudrais dormir comme une vache, les vaches ne font pas de ces folies et elles ne désespèrent pas. Elles sont paisibles et paissent en paix. Elles dorment d'un sommeil plus noir que les tunnels dont surgissent les trains, et lorsqu'elles s'éveillent c'est qu'elles ont assez dormi. Elles sont bien reposées et broutent sans souci.

Broutez bien en paix, mon fils. Broutent, broutent. L'herbe repousse où elles passent; elles tournent en rond et y reviennent. Elles se baignent deux fois dans la même eau, car elles savent que le devenir n'est pas un problème — ou elles ne savent pas qu'il en est un, ce qui revient au même. Car elles savent que le train de 9.07 hres passera éternellement à 9.07 hres, qu'il aille au bout du monde ou au prochain village. Puisque la terre est ronde et que comme elle tout tourne en rond.

29. Afrique aller et retour

Ma chère petite Anna,

J'en ai drôlement assez d'être assis ici.
Je me déprime. Je me rends malade à me regarder ne rien faire. J'ai changé d'idée: je retourne en Afrique.

Salut!

Dieu que ce fauteuil m'a l'air rébarbatif! J'épaule,
j'œille, je tire. Un coup de mon Index .303 en plein ressort. Il sautille un peu sur la pointe des pattes, comme
un malaxeur électrique, frémit, vrombit, bat de l'aile à
sécurité maximum et s'écrase en flammes. À grands
coups de machette, je me fraie un chemin dans le tapis.

— Quel jeu idiot . . . —

On a bougé derrière moi. Je me retourne: vif comme l'éclair, le téléviseur se dissimule derrière le sofa;
mais ses oreilles de lapin le trahissent. « Ah! Traître! »
m'écris-je, — et je l'assassine.

Mon âme est en péril en ce lieu plein d'embûches
Mais loin de moi l'idée de jouer à l'autruche.
J'avance tête haute, audacieux, si heureux
De pouvoir faire enfin de mon courage montre
Et réveille-matin de ma vaillance contre
La table qui jadis me traita de peureux.
Je m'approche très fier, avec des taches bleues
La provoque en duel, en trio, en quintette;
Je te me la soufflète et vous la resoufflète;
D'un coup de mon épée je lui crève les pneus.

Elle est à ma merci et à mon s'il-vous-plaît
Car elle ne peut fuir pour chercher le salut
Du Très Saint Sacrement. Alors n'en pouvant plus
Elle demande grâce. Mon triomphe est complet:
Grâce ne répond pas, puisque j'avais coupé
O sage précaution, le fil du téléphone.
La table prend alors des poses très bouffonnes
Mais je ne lui laisse pas le temps de souper
Je la frappe à grands coups, l'ébranle sur sa base;
Un cendrier sur elle est un pesant fardeau:
Il tombe et se faufile à l'abri d'un rideau
D'où il veut m'attaquer à l'aide d'un grand vase.
M'attaquer moi? Holà! D'un dernier coup solide
Je mets hors de combat la table moribonde
Et sans perdre un instant bondis tel un bolide
Avec le fier sourire de trois cents Jocondes
Jusqu'à ce cendrier qui de loin m'apostrophe.
Me voici près de lui et je le parenthèse
Et l'entreguillemets avec ma catachrèse.
Il point virgule un peu et soudain, catastrophe!
Il meurt énormément et rend le dernier souffle.
Je m'écrie: « Au suivant! »; et puis je me dis « bof »,
À quoi bon continuer . . .

C'est vrai, Anna, à quoi bon? Je m'ennuie même
quand je m'amuse.

AVEC TOI, JE SUIS HEUREUX MÊME QUAND
JE SUIS MALHEUREUX.
SANS TOI, JE SUIS MALHEUREUX MÊME
QUAND JE SUIS HEUREUX.

Il n'y a rien à faire.

Si tu pouvais arriver, que la vie reprenne son cours
de mathématique normal, que tout rentre dans l'ordre
des dominicains, que je n'aie plus à me ruiner le cerveau
pour m'inventer des distractions fatales.

Je ne comprends vraiment pas pourquoi tu t'entêtes à ne pas revenir.

Je ne t'ai pas assez suppliée?

Attends-tu que je commence à m'inquiéter? Un malheur est si vite arrivé, surtout s'il ne vient jamais seul. Ni deux sans trois. Toujours accompagné d'une ribambelle de petites processions d'inconvénients mineurs et pas encore en pleine possession de toutes leurs facultés, comme par exemple, je ne sais pas moi, toutes sortes de choses.

Vraiment Anna tu n'es pas raisonnable. Une grande fille de ton âge!

À ta place, je ne serais pas fière de moi, ni sûre de mon coup, de mes épaules ou de mes avant-bras. Ni de mes avant-hiers ni de mes lendemains qui chantent ni de mes grands horizons. Ni de mes vastes plaines ni de l'appel du large ni de celui de l'étroit. Ni des quatre mousquetaires, ni des cinq doigts de la main, ni décidément. Ni définitivement, ni paradoxalement, ni anticonstitutionnellement. Ni un peu beaucoup à la folie pas du tout. Non vraiment, Anna, je ne serais pas fier du tout, pas plus que de la moitié ou du tiers comme du car. Ou de l'auto à pied à cheval ou en voiture. Ou en vois-tu en veux-tu en voilà en voici. Couci-couci peut-être, Anna, mais tout au plus et encore. Car il n'y a vraiment pas là de quoi être fière.

Tu n'as peut-être jamais appris que l'exactitude était la politesse des rois? Je te l'apprends. Évidemment, il est beaucoup plus facile d'être exact lorsqu'on ne fixe pas de rendez-vous, mais parallèlement et concurremment, je ne sais pas si tu te rends compte que c'est le meilleur moyen de rendre quelqu'un fou. Je ne sais pas si cela te fait quelque chose, mais pour un psychopathe comme moi qui a déjà fait deux névroses et une dépression, c'est grave, c'est très grave, et de l'avis même de plusieurs personnes qui n'y connaissent rien et qui se mêlent de ce qui ne les regarde pas, c'est terriblement grave.

Pourtant, je t'ai souvent expliqué que j'avais mal surmonté mon Oedipe et que mes difficultés avec mon Antigone et mon Prométhée étaient loin d'être terminées. Ajoute à cela un carburateur qui fait des siennes et le roulement à bille de l'embrayage qui est à remplacer, et tu n'auras encore qu'une bien petite idée de la situation, car tu auras oublié ma claustrophobie compliquée d'agoraphobie, (situation assez embarrassante en effet), ma peur du succès et ma crainte de l'échec, ma caractéristique folie des grandeurs et mon complexe de culpabilité latent. Il me semble que ce sont des choses auxquelles on doit penser avant de faire attendre quelqu'un. La science moderne est là, c'est pour qu'on en profite.

Et je n'ai pas encore mentionné, sur un plan un peu différent, mes inquiétudes métaphysiques qui me jettent en moins de deux dans les bras tendus de l'angoisse quand ce ne sont pas ceux de Morphée. Plus ma fuite constante de la réalité, plus ma peur des responsabilités, plus le troisième bouton de ma chemise qui se découd de plus en plus et qui va finir par s'arracher, ce qui ne laisse pas d'être dramatique dans des circonstances comme celle-ci.

Anna, je te l'ai dit cent fois: tu n'as pas de cœur. Tu es inhumaine. On ne peut laisser seul un pauvre malade dont le carburateur commence à faire des siennes et de celles des autres. Ça ne se fait pas. À quoi penses-tu, c'est incroyable! Vraiment, Anna, pour t'accorder le bénéfice du doute, tu es inconsciente, terriblement inconsciente. Ou bien tu veux me faire mourir.

30. Funérailles

J'ai compris Anna, un éclair, un coup de foudre! *Tu veux me faire mourir!* Tu veux hériter, tu veux te bourrer les poches. Parfait, très bien, j'ai compris. Je réchauffais un serpent dans mon sein. Bon bon. Tu n'iras pas très loin : je m'empresse de prendre de nouvelles dispositions testamentaires.

D'abord je te lègue à toi, Anna, ma collection de timbres, si jamais tu la retrouves (elle est dans une enveloppe, dans le troisième tiroir de l'armoire verte, je crois.) Ça ne vaut rien sur le marché, mais ça a une grande valeur sentimentale, d'autant plus que c'est tout ce que je te laisse.

Le reste de mes biens sera divisé en trois parts, de façon à ce que le double de la première plus sept soit égal à la somme des deux autres moins le produit des deux premières divisé par huit. De ces trois parts, la première sera incinérée avec moi, l'autre vendue à l'encan, (les profits seront partagés entre les acheteurs), et la dernière envoyée au diable vert (payable sur livraison). Quant aux valeurs en argent, elles seront jetées par les fenêtres et dispersées aux quatre vents un jour où ils seront là tous les quatre.

Je veux être enterré de la façon suivante : des invitations, signées de ma main, seront envoyées aux grands de ce monde et à quelques petits triés sur le volet, ainsi qu'à une majorité de parfaits inconnus. On pourra y lire :

> Feu M. " vous prie de daigner as-
> sister à ses funérailles qui auront

lieu le .... à ....
Un souper froid sera servi, suivi d'un
bal costumé en plein air. Nombreux
prix de présence. Ni fleurs ni cou-
ronnes. Confettis et serpentins de
rigueur.

R.S.V.P.

Le convoi funèbre empruntera, avec promesse
formelle de les rendre dans les trente jours (30) suivant
l'enterrement, les grandes artères de la métropole et quelques artérioles dans la même veine, de préférence à une
heure de pointe même émoussée.

La dépouille mortelle sera exposée debout dans un
cerceuil en verre traîné par huit tortues géantes des
îles Galapagos. Dans une attitude très vivante, elle tien-
dra à la main une cigarette, et fera de l'autre le geste de
l'allumer. Le convoi sera précédé et suivi par un orches-
tre de musiciens noirs jouant du Dixieland avec un plaisir évident. Les amis de la dépouille, tous en état d'ébrié-
té avancée, suivront tant bien que mal en invitant les
gens à danser dans les rues et à hisser le drapeau national
à leur balcon. Ils auront également la tâche d'imiter le
défunt dans ses tics les plus détestables et de se moquer
de lui pour essayer de le faire rire.

Après avoir traversé la ville de bout en bout, et maintenant accompagnée de la foule surexcitée, la noce funèbre s'arrêtera autour d'un grand bûcher imbibé de gazoline. Le cher disparu, extrait de sa cage de verre, y sera
planté tête en bas à grands coups de masse administrés
par tous ceux qui auraient quelque chose à lui reprocher,
et, à défaut, par d'autres. Pendant ce temps, un système de haut-parleurs, judicieusement installés, permettra
à la foule d'entendre, grâce à un enregistrement magnéto-

phonique réalisé au préalable, la voix du cadavre. Celui-ci lira avec des trémolos un texte qui se terminera ainsi:

« Ô vivants, j'ai envie de vivre. Je suis
« mort et je meurs d'envie de vivre.
« Vivants, que faites-vous de votre
« vie? Cessez de perdre votre temps à
« m'écouter et courez embrasser
« pour moi la première fille que vous
« verrez. »

À ce moment, le maire de la ville, accompagné de Miss Univers et de Miss Récolte de Pommes de Terre des Cantons de l'Est, cette dernière toute nue, mettra le feu au bûcher pendant que les chœurs attaqueront le Te Deum. En même temps, un immense feu d'artifice éclatera, accompagné de pétards et des cris des enfants perdus dans la foule. Le ciel rougeoiera à l'horizon comme si Moscou brûlait, mais il ne neigera pas. Les gens se féliciteront en s'offrant leurs condoléances. Les boissons fortes, les hot-dogs et le vin de pissenlits par la racine seront fournis gracieusement par la succession, qui distribuera également de courtes notices biographiques en quatre langues. Les profits de la vente des ballons iront au Fonds pour la Publication en Bandes Dessinées des Grands Chefs-d'Oeuvre de la Philosophie de Tous les Temps.

La fête se terminera officiellement quand sur 300 personnes interrogées on n'en trouvera plus une seule qui sache ce qu'elle fait là et comment elle y est venue. Bien que finie officiellement, la fête pourra continuer à battre son plein, mais la succession ne s'engage pas à en assumer les frais. À l'aube, le protonotaire sera chargé de recueillir les cendres du défunt et de les remettre sous enveloppe scellée à la veuve éplorée, qui pourra se distraire de sa peine en les utilisant comme casse-tête. Pendant ce temps, la foule se dispersera lentement dans les rues avoisinantes et s'endormira le long des ruelles.

Un petit groupe plus décidé ira manifester en silence devant le consulat américain.

(Extrait de « La Vie quotidienne sur les Hauts Plateaux du Tétraboutchna à l'Époque de l'Empire ».)

31. Dissertation: des causes de l'ennui et s'il est guérissable

Anna, je m'ennuie.

Je m'amuse, bien sûr, mais je m'ennuie aussi. La preuve, c'est que si je ne m'ennuyais pas, je n'aurais pas besoin de m'amuser. C'est logique.

Tout le malheur des hommes, disait Pascal, vient d'une seule chose, qui est de ne savoir demeurer en repos dans une chambre. Tout le malheur vient de ce qu'il ne trouve pas son bonheur en soi et doit le chercher dans ce qui l'entoure. Or les êtres et objets qui nous entourent n'obéissent pas à notre volonté et ne sont pas toujours ce que nous voudrions qu'ils soient. Nous risquons donc d'être malheureux, dès lors que nous nous attachons à eux.

Si je ne mettais pas mon bonheur dans ta présence, je n'aurais pas à t'attendre. Il faut donc d'abord que je me convainque de mon autonomie et de mon auto-suffisance. Il faut que je sois logique, c'est la seule façon d'être heureux. Qui veut peut.

Hrhrhrhrm hem.

Que tu sois présente ou non ne change rien à ma vie de tous les jours.

Que tu sois dans la cuisine ou non pendant que j'écoute un disque au salon ne change rien aux faits scientifiques et constatables, empiriques, matériels, observables, enregistrables, mesurables et rigoureux, les seuls dont nous ayons, en somme, à tenir compte. Que tu sois ou non à la cuisine n'influe nullement sur le nombre de kilocycles, la modulation de fréquence, la rotation par minute, la sonorité, la tonalité, la fidélité de reproduction de mon tourne-disque; cela n'influe pas non plus sur la qualité de ma perception acoustique, ni d'ailleurs sur le confort du fauteuil que j'occupe, la densité de la lumière, l'épaisseur du tapis, la grandeur de la fenêtre ou la température de la pièce. Que tu sois ou non ici, et dans l'hypothèse où, répétons-le, je ne te parlerais pas et me contenterais d'écouter ce disque, les facteurs extérieurs ayant ou pouvant avoir sur moi une influence quelconque demeurent donc exactement les mêmes.

Si les facteurs d'ordre matériel, mesurables, chronométrables et rigoureusement observables et scientifiques demeurent exactement les mêmes pendant ton absence, si, en d'autres mots, les conditions expérimentales extérieures demeurent identiques, les seuls facteurs motivant la diversité de mes états d'âme devront être définis dès lors comme des facteurs d'ordre psychologique pur, c'est-à-dire internes et ne dépendant pas du conditionnement physique dans lequel ils s'exercent.

Or il y a deux façons d'agir sur des facteurs psychologiques purs: d'une part la pure volonté, et d'autre part la transformation des variables physiologiques. La deuxième méthode est la plus facilement applicable; elle découle d'observations faites sur les relations somatico-psychiques, et consiste, par exemple, à changer de lieu, à trouver une occupation intéressante, à boire jusqu'à l'état d'hilarité ou d'inconscience. Ces différents moyens ont ceci en commun qu'ils apportent l'oubli de façon artificielle et extérieure: aussi leur action n'est-elle efficace que tant que le procédé est en jeu.

Ce sont en somme des analgésiques moraux. Ils endorment la douleur, ils n'en détruisent pas la cause. L'al-

cool est l'aspirine de l'âme, pourrait-on dire. Ou de même :
le travail, la distraction, etc. Notons cependant que bien
que ne faisant qu'endormir la douleur, les analgésiques
ont parfois une efficacité plus grande : car souvent, comme pour un rhume, pendant que la douleur est endormie,
le mal se passe sans qu'on sache comment. De même,
après cinq ou six bonnes cuites, passez-moi l'expression,
les maladies d'amour perdent de leur virulence.

Malgré leur utilité indéniable, ces procédés sont à
classer sous le nom de « techniques », et ne peuvent recevoir celui de science. Une fois leur effet passé, dans la
plupart des cas, tout est à recommencer ; par exemple,
une fois un travail fini, il faut trouver une autre occupation si on ne veut pas s'ennuyer à nouveau. Et même dans
les cas où l'on peut parler de guérison, c'est-à-dire dans
les cas où, une fois l'effet de la drogue passé, le patient
se sent complètement rétabli, il reste qu'il demeure toujours à la merci d'une rechute, faute de connaître la
source profonde du mal qui le dévore.

À nous donc, savants de l'âme, il faut un procédé
qui soit basé sur la nature réelle de la maladie, et non
sur ses propriétés, sur son essence et non sur quelques
constatations accidentelles. Il faut un procédé qui s'atta-
que au cœur même du sujet, et qui élimine une fois pour
toutes le microbe qui y fait germer l'ennui, l'inquiétude,
et tout autre inconfort moral, i.e. ce que l'on nomme
communément la tristesse ou le malheur.

À nous donc, philosophes du cœur, l'analgésique ne
suffit pas, ni la technique. La guérison sera totale ou elle
ne sera pas ; telle est notre fière devise. Nous ne voulons
pas chaque année recommencer à arracher la mauvaise
herbe de plus en plus nombreuse, nous voulons une fois
pour toutes l'exterminer et empêcher qu'elle ne se reproduise. Et si nous ne pouvons y parvenir, comme nous

l'avons démontré, par ce que nous appelions plus haut la transformation d'une des variables physiologiques, il ne nous reste qu'à mettre à l'essai l'autre procédé que nous avons mentionné, avec l'espoir qu'il réussisse. Car s'il échoue, nous devrons nous avouer vaincus, et admettre que le problème du bonheur dépasse la compétence de la logique humaine.

Le deuxième groupe de moyens mis à notre disposition est donc constitué par ceux qui résident au sein de la pure volonté. Car si le mal auquel nous faisons face se révèle indépendant des conditions extérieures, s'il se caractérise comme une défaillance psychologique pure, c'est qu'il doit être solvable au niveau de la pure psychologie. Si la seule cause que nous trouvions à l'ennui et à la tristesse, d'où découlent le désarroi, l'inquiétude et l'angoisse, se trouve dans l'âme humaine, c'est dans l'âme humaine que nous devrons l'attaquer. C'est par un pur effort de la volonté que nous devrons parvenir, en prenant conscience de la source d'existence du problème, à évincer le mal des retraites où il se terre. C'est en nous disant bien que le mal que l'on appelle ennui n'existe que dans la mesure où nous lui prêtons l'existence, que nous pourrons mettre fin à cette existence. C'est donc au niveau de la suggestion que nous devrons œuvrer.

Pourquoi, devons-nous nous demander, pourquoi le fait que quelqu'un soit ou non présent dans la pièce d'à côté, c'est-à-dire dans un endroit où je ne peux pas plus constater sa présence que s'il était à l'autre bout du monde, pourquoi, en quoi et comment ce fait peut-il motiver chez moi une réaction psychologique? Je crois que si nous nous posons clairement cette question, nous ne pourrons manquer de voir notre illogisme. Nous ne pouvons avoir besoin de quelqu'un que nous ne voyons ni ne sentons. Pourquoi désirerions-nous que tel objet, un pèle-légume par exemple, soit à la cuisine alors que nous ne nous en servons pas? Pourquoi désirer que telle personne y soit alors que nous n'entrons en aucune façon en communication avec elle?

Soyons raisonnables. Il n'est pas plus logique de désirer qu'elle soit à la cuisine que de désirer qu'elle soit au Pérou, où nous ne pourrions pas plus constater sa présence. Ou de désirer qu'elle soit en Afrique, chez le voisin, au magasin, en auto, toutes choses qui, on le voit bien, n'ont nulle influence sur notre bonheur. Nous pourrions aussi bien, somme toute, désirer qu'elle soit n'importe où, puisque cela n'a aucune importance. Or elle y est. Conséquemment, notre désir est scientifiquement comblé, et il ne nous reste qu'à être heureux.

Mais mieux encore, si nous nous interrogeons aussi lucidement chaque fois qu'entre en jeu notre désir de relation à quelqu'un ou à quelque chose, nous parviendrons à découvrir que lorsque nous les considérons avec froideur nos besoins se résorbent d'eux-mêmes et s'évanouissent dans le néant. Car si à tel moment cet objet ou cette présence nous ont paru indispensables alors que leur nécessité était illusoire, rien ne nous prouve qu'il n'en soit pas toujours ainsi. Et justement, si nous tenons un raisonnement un tant soit peu serré, nous constaterons que tous nos besoins ne s'attachent à notre être que comme des accidents [1]. Or ce qui se greffe sur la substance ne peut que nuire à la réalisation de celle-ci, puisqu'il la détourne de sa fin propre. Il suffit de nous regarder l'âme droit dans les yeux pour comprendre que son existence, son être et son bien, donc son bonheur, ne dépendent en rien de conditions et d'éléments externes,

---

[1] On objectera ici le besoin de se nourrir (instinct de conservation). Mais qui nous dit que l'être tend à se conserver? Pourquoi ne tendrait-il pas plutôt à disparaître?

et que tout cela ne relève que d'une mauvaise éducation
et de l'acquisition d'une suite de mauvaises habitudes
dont il suffit de nous débarrasser afin de reconquérir à
nouveau ce à quoi nous avons droit, la quiétude et la paix.
Je crois qu'à partir du moment où nous aurons résolu de
nous interroger ainsi au moindre signe de nécessité d'un
objet extérieur à notre être, nous pourrons commencer à
vivre heureux toute notre vie enfermés dans notre
chambre.

●

Anna, si je ne voulais plus m'ennuyer, je ne m'ennuierais plus. Plus jamais. Je n'aurais plus besoin de toi,
déjà je n'ai plus besoin de toi.

Je ne te garde que librement, parce que je le veux,
et aussi longtemps que je le voudrai. Sois avertie et fais
bien attention. Je n'ai besoin de toi que parce que je veux
avoir besoin de toi. Je ne t'aime que parce que je veux
t'aimer. Je pourrais aussi bien me retirer dans ma chambre, ou dans une lamaserie, ou en Floride, et me tourner
tout entier vers ma vie intérieure, et contempler en moi
les fumées de l'Être qui montent comme un encens, sans
plus jamais vouloir te parler ou te revoir. Méfie-toi Anna,
maintenant que je le sais, cela peut t'arriver n'importe
quand. Reviens Anna. Reviens sinon je t'oublie. Je t'oublie n-i ni, et tu n'entends plus jamais parler de moi. Je
me retire sur la plus haute montagne et me regarde le
nombril jusqu'à la fin des temps.

32. Dans mon nombril

De grandes prairies vertes tournent dans mon nombril, avec du gazon long et souple comme les poils d'un chat. Les grandes prairies vertes montent à l'intérieur de ma tête en tournant sur elles-mêmes en spirale. Je me vois marcher librement à travers le vent qui galope dans la prairie. Elle s'étend à l'infini devant moi, comme les plaines de la Saskatchewan, mais je n'ai pas l'impression d'être seul, d'être perdu, ni même d'être en route vers quelque part. Je n'ai pas l'impression d'être loin de quelque chose ou de quelqu'un. Je marche simplement comme si je me promenais au milieu du Sahara gazonné. Je marche sans m'inquiéter comme si je n'avais nulle part où me rendre, comme si j'allais pouvoir me nourrir d'herbe pour le reste de mes jours.

Je n'avance que par plaisir, pour sentir le gazon me frôler les chevilles. J'ai l'impression d'enfoncer dans un nuage, tant la terre est spongieuse et molle, et l'herbe épaisse. Je m'aperçois tout à coup qu'il n'y a pas de ciel, qu'il n'y a pas une ligne d'horizon avec en dessous du vert et par-dessus du bleu, l'affreux bleu du ciel toujours bleu. Il n'y a qu'une prairie, sous moi et par-dessus moi et tout autour de moi, comme une immense boîte verte et poilue, une boîte sans côtés et qui n'est que ce qu'elle contient, une boîte qui est toute entière à l'intérieur d'elle-même. Il n'y a ni haut ni bas, et pourtant à mesure que j'avance sur la prairie je sens que je monte, en tourbillonnant un peu et en glissant lentement, comme une feuille qui tombe si elle pouvait tomber par en haut. Et quand j'avance, je reste toujours à la même place, et pourtant parfois je suis du côté droit de la boîte sans côtés, et parfois du côté gauche, et en même temps je suis toujours en plein centre. Si je saute dans les airs, je reste au sommet de mon saut et continue à marcher à cette nouvelle hauteur comme je le faisais plus bas. Je peux sauter aussi haut que j'en ai envie. Si je me laisse tomber, je roule sur le sol, souplement, comme un tigre, et après deux ou trois tonneaux je me retrouve sur mes pieds. Si je regarde la tête entre les jambes, tout autour de moi est encore à l'endroit, mais j'ai les pieds en l'air. Je me sens parfaitement à l'aise et pourtant je n'ai pas l'habitude de vivre de cette façon. L'air est riche, épais et vert. Il coule comme de l'huile, avec des courants plus ou moins clairs, plus ou moins sombres, des veines plus ou moins jaunes ou bleues. Entre les doigts, il a à peu près la consistance de la plume, (sans la partie dure), mais il se respire comme de l'eau, ou comme de l'esprit.

Je me repose véritablement. Peut-être tout ceci est-il une nouvelle forme de sanatorium?

Quand je saute trop haut, j'ai un peu le vertige, mais j'aime redescendre lentement, comme un planeur, comme au bout d'un parachute fait avec une immense méduse blanche. Je voudrais m'éclabousser avec l'air, mais il est trop épais, il ne fait pas d'écume. J'aperçois des ombres qui se profilent au fond de la prairie, quelque chose comme des pélerins habillés en cosmonautes, mais je ne peux en être sûr, ce ne sont peut-être que des fourmis avec une vague allure de rois mages.

Je n'y prête pas attention, je m'endors trop à présent. Subitement, j'ai la tête lourde et les jambes molles. Je m'étends sur le sol mais il ne me porte plus. Je glisse entre deux murailles vertes comme entre les parois d'une crevasse. Je commence à avoir peur maintenant. Je ne peux rien faire pour arrêter ma descente, je ne peux m'accrocher à rien. Je glisse très vite maintenant. Je ne parviens pas à ouvrir les yeux. J'ai peur. Je sens que je glisse très vite.

Je crois que j'ai les poings liés dans le dos. Je ne vois rien. J'essaie d'écarter les jambes pour accrocher la paroi et ralentir ma chute, mais je ne trouve plus la paroi. J'essaie désespérément d'ouvrir les yeux. Je veux voir, mais je n'y parviens pas. C'est comme si j'avais oublié quel muscle il faut bouger. J'ai l'impression de glisser de plus en plus vite, mais je ne sais vers quoi ni dans quoi. Je ne sens plus la présence des parois de chaque côté de ma tête, la crevasse a dû s'élargir énormément. Peut-être n'y a-t-il plus de crevasse du tout, peut-être seulement un grand trou. Il faut que je voie. Il faut que je retrouve le muscle qui ouvre les paupières, celui qui ramènera mes mains devant moi pour me protéger. On n'est jamais si faible que les yeux bandés et les mains dans le dos. C'est une sensation atroce.

Je glisse toujours mais je sais que le fond est de plus en plus proche, car bientôt j'irai trop vite pour qu'il y ait un fond. Je m'y briserais trop. J'y serais tellement anéanti d'un seul coup que ce ne serait même plus moi qui mourrais. Simplement une étoile qui ferait explosion. Je sais maintenant que le fond est là. À 500 pieds. À deux secondes. Il faut que j'ouvre les yeux. Je sais que je ne parviendrai pas à les ouvrir tant que je voudrai les ouvrir, comme je ne parviens pas à m'endormir tant que je veux m'endormir. Pourtant il faut que je les ouvre. Le fond est là. Le fond est là, je m'y écraserai dans une seconde, dans une demi-seconde. Je glisse toujours tellement vite que je pourrais diviser cette seconde en centièmes, en millièmes, en millionnièmes. Le fond est là. Je m'écrase. Je crie.

D'un seul coup j'ouvre les yeux, mais je les referme aussitôt. Tout est blanc, blanc, blanc autour de moi, éblouissant comme la neige sous le soleil lorsqu'on sort de l'obscurité, et qui fait mal aux yeux. C'est la lumière produite par mon explosion, c'est l'énergie de ma chute qui se transforme en chaleur et en fluorescence. Je n'ai qu'un instant, une micro-seconde pour assister à ma désintégration.

À cette vitesse, la conscience s'élargit tellement que chaque unité de temps se décompose en tant d'intervalles qu'elle dure comme une éternité. Je vois la couronne de billes rouges qui surmonte chacune des pointes de l'étoile à six branches dans laquelle j'éclate. Chaque bille qui à son tour devient une étoile verte et métallique, comme dans un kaléidoscope.

Mais comment puis-je si bien voir avec les yeux fermés, comment puis-je être mort et assister encore à mon anéantissement?

J'ouvre les yeux sans y penser: la pièce apparaît autour de moi, le fauteuil sur lequel je me suis endormi. J'émerge de la zone indistincte qui sépare mon rêve de la réalité. Je reconstruis ma chute à l'envers, à partir de la lumière que j'ai vue la première fois que j'ai ouvert les yeux et qui est ce rayon de soleil apparu entre les rideaux quand ma tête a glissé vers le côté gauche du fauteuil. Je me rasseois, droit, sur le fauteuil, encore mal à l'aise, encore peu rassuré sur la distance qui sépare le vrai du faux. Peu à peu, je découvre qu'il n'existe ni crevasse, ni boîte sans côtés, ni grandes prairies vertes. Je suis déçu, j'ai encore un goût de sommeil dans la bouche et les joues épaisses. Ma tête est encore lourde et je sens un cercle de métal qui roule à l'intérieur, un métal brillant mais très pesant, qui roule sur un axe bien huilé, comme un stabilisateur de navire. Je m'appuie vers l'arrière. J'ai soif, je veux surtout enlever de ma bouche ce goût chaud et épais.

J'ai soif, mais je suis en grève.

33. Alea jacta est

Pour le moment, il n'y a que moi qui en souffre de ma petite grève.

Ça te fait rire, hein? Mais attends, attends un peu. Quand tu arriveras, ma grève commencera à porter fruit. Je ne me lèverai même pas, je ne te dirai pas bonjour.

Tu trouves cela drôle?

Tu feras à souper et je ne mangerai pas. Tu commenceras à t'inquiéter. Après deux jours (tout au plus) tu feras venir un spécialiste.

Tu essaieras de me nourrir avec des tubes, de me parler par gestes.

Peine perdue.

Je te regarderai avec de grands yeux impavides et vaches, sans même te voir. Tu ne comprendras plus ce qui se passe. Tu me croiras ensorcelé, envoûté. Tu diras : « Mon Dieu! Qu'ai-je fait! Pourquoi l'ai-je abandonné? Lamma, lamma sabachtani. » Tu te mettras à parler hébreu tant ta peine sera grande et la malédiction du ciel sera sur toi pendant 874 générations.

Pendant tout ce temps, moi je ne bougerai pas.

Je laisserai le malheur t'entrer dans la peau et s'y accrocher comme l'émail se colle au métal. Les remords grugeront ta conscience comme des vers, ils y feront des cloques comme des brûlures d'estomac.

Je ne bougerai pas.

Tu passeras tes jours et tes nuits à mon chevet, éplorée et contrite, en repassant mentalement mes qualités et les moments heureux que tu auras vécus grâce à moi. Ta vie ne sera plus que le continuel éloge funèbre de la mienne.

Moi, je me désécherai sous tes yeux — et malgré tes larmes. Pas un mot de reproche: seulement une présence indéfectible, accusatrice et peu à peu malodorante.

Ah! tu le regretteras, tu le regretteras ce jour maudit entre tous!

Et moi à l'intérieur de ma barbe qui s'allongera de plus en plus, je rigolerai doucement de ce petit rire narquois que l'expérience de la vie donne aux vieillards.

Les années passeront, figées dans ce tableau auquel le temps donnera peu à peu la teinte d'un Rembrandt ou d'un Titien. Inflexible, je resterai sans bouger sur mon lit; inconsolable, tu resteras à pleurer près de moi. Nous deviendrons tellement vieux que je m'appellerai Aaron et toi Thébaïde.

Et enfin, un beau jour, des générations plus tard, la fatigue l'emportera et tu fermeras les yeux un instant. Alors je me tournerai vers toi et d'une voix sévère je te dirai: « Alors, tu m'abandonnes encore? » Tu sursauteras, folle de joie et d'espérance. Mais moi, regardant le plafond, les yeux pleins de malice, je glousserai doucement « Hé! hé! hé! » — et je mourrai, pour te punir.

« O sort cruel! t'écrieras-tu, qui me reprend encore celui que j'aime au moment où . . . ». Mais tu ne sauras pas comment finir ta phrase, et tout le monde rira de toi. Rouge de honte, tu te cacheras la figure dans les mains, pendant que le rideau se fermera lentement.

●

Reviens, Anna. Reviens pendant qu'il en est temps. Reviens au moins saluer ton public.

Si tu reviens tout de suite, je te laisse dix minutes de grâce. Je t'amnistie généralement. Promis. Je ne mets pas ma menace à exécution. Juré. Profites-en pendant que je suis dans de bons sentiments.

Il est 4 hres 17, je te laisse jusqu'à 4 hres 30. Treize minutes, chanceuse. Je vais m'ennuyer jusqu'à ce que la grande aiguille soit sur le 6. Craché. Mon syndicat autonome et personnel t'en donne sa parole.

Viens, je m'ennuie.

Viens, c'est mon dernier avis. Après cela, je romps les négociations.

Dépêche-toi, viens. Ne rate pas d'autobus. Cours en traversant les rues.

Vite.

Je m'ennuie encore . . . encore un peu . . .

. . . .

Six minutes et deux secondes. Une seconde. Six minutes. Qui dit mieux? Cinq minutes cinquante huit. Une fois, deux fois . . . Cinq minutes cinquante cinq.

Qu'est-ce que tu attends? Viens. Qu'est-ce qu'il te faut? Veux-tu que je t'installe un tapis rouge, veux-tu une haie d'honneur?

Viens, je m'ennuie encore un peu . . . Vite.

Veux-tu un comité de réception, une fanfare, des majorettes? Dis-le, mais n'attends pas.

Vite. **Vite.**

Veux-tu que je tue le veau gras?

. . . .

Trois minutes trente huit. Ton avenir est sérieusement compromis. Encore deux tours de piste. Je ne m'ennuie plus que par un fil.

Viens vite.

S'il casse, je tombe à pieds joints et à bras raccour-
cis dans l'indifférence.

Cours, Anna, cours.

Ce n'est plus le moment de t'amuser.

. . . .

Deux minutes onze secondes. Tu prends des risques.

Je m'inquiète. L'ennui baisse comme la gazoline
dans le réservoir de l'avion qui transporte le héros d'un
film en cinémascope.

Viens Anna, je m'ennuie.

Viens vite. Je m'ennuie à peine.

. . . .

Une minute trente-six. Le fil de mon ennui, Anna,
ne tient plus lui-même qu'à un fil. Ta vie s'achève en ce
qui me concerne.

Déjà tes yeux se voilent d'un nuage grisâtre. Je t'aurai aimé, Anna, c'est triste et c'est tout. J'aurai de beaux
souvenirs à conter aux enfants d'une autre.

Non Anna, je n'aurai même pas de souvenirs. Même
pas de souvenirs.

J'aurai tout oublié.

Anna . . .

. . . .

Dernière minute de jeu dans cette partie. À moins d'un ralliement de dernière heure, Anna, nous avons perdu. Nous sommes accumulés au mur. Il va falloir qu'on jouse de toutes nos forces.

Patine, Anna, patine.

Ne t'arrête pas pour une tasse de Bovril.

Viens vite.

. . . .

Trente et une secondes. Réfléchis bien Anna. Pense à ce que tu perds et à ce que tu gagnes. Mon train quitte la gare dans 31 secondes et tu n'as pas de ticket de quai. Les wagons tremblent déjà, les portiers replient les escaliers.

Je regarde par la fenêtre du portillon et j'espère encore te voir arriver en courant, au bout du quai, essoufflée et joyeuse, avec ton chapeau à la main.

. . . .

Huit secondes Anna. L'envolée ne sera pas remise, le temps est clair d'un horizon à l'autre. Les moteurs tournent déjà et la voix de l'hôtesse est douce. Les lettres de ton nom se détachent les unes des autres et retournent prendre dans l'alphabet les places indifférentes qu'elles occupaient avant que je ne te connaisse.

2 a, 2 n.

Tu disparais parmi la foule, de plus en plus incolore, inodore et sans saveur. Tu te grisifies, tu te transparentises, tu perds ton relief et ta profondeur. Je te distingue à peine des autres par un contour un peu plus foncé.

. . . .

Une seconde. Je n'ai plus d'espoir. Tout est consommé. Au poulet.

Je n'ai plus que le temps de te dire adieu, pendant que je sais encore ton nom, Anna, adieu et que je t'aimais.

. . . .

Zéro!

Postexte

Il faudrait maintenant que je fasse mes bagages. J'ai comme envie de voyager. D'ailleurs je ne suis pas chez moi ici. Il faudra que je me construise un jour une maison comme celle-là : c'est amusant, tous ces corridors, ces grands murs blancs, ces détours imprévus, ces étages, demi-étages, quart d'étages; les piments rouges qui pendent au bout de leurs ficelles.

Un peu trop de bibelots peut-être, bien que ce soit drôle tellement c'est exagéré. Je me demande quel maniaque a bien pu amasser tous ces petits démons africains, ces statuettes aux bras de méduses, ces chapeaux, ces pipes. Et les boîtes vides aussi. Bizarre collectionneur... Et ces horloges dont pas une ne marque la même heure.

On ne doit pas s'ennuyer ici.

J'aurais presque envie de m'installer pour quelques temps, cette maison est un voyage à elle seule. Mais je crains trop le propriétaire qui va arriver tout à l'heure; il doit avoir le genre à épingler et à mettre au fond d'une boîte de carton, comme un papillon!

Je m'amuse à ouvrir les portes une après l'autre. La chambre à coucher, toute matelassée, murs, plancher, plafond, avec son grand lit rond au milieu, matelas un peu plus épais, et les tapis orange et blanc, exactement ce dont j'ai toujours rêvé.

La douche : toute blanche et luisante, avec les serviettes orange, moelleuses et chaudes, qui donnent envie de se laver.

La salle à manger, un peu en désordre, comme s'il y avait eu un petit dîner intime qui à la fin se serait transformé en grande réception avec discours, suivie de bagarres.

La bibliothèque. J'ai toujours aimé savoir ce que lisaient les gens. Ici, deux livres traînent: Fantasio et le dictionnaire. Toujours aussi curieux.

Sur le tourne-disque du salon, Gainsbourg, et à côté une lettre qui traîne... Serai-je assez curieux, serai-je assez indiscret? Bien sûr.

Ne m'attends pas. Je t'aime.

Anna

J'ai bien fait de regarder, ce n'était pas la peine de se faire des problèmes de conscience pour ça. Anna ne pourra pas venir, il n'y a rien de bien dramatique là-dedans. À vrai dire, ça m'arrange plutôt, qu'elle ne vienne pas. Le collectionneur est probablement parti la rencontrer, comme ça j'aurai la paix.

Dingue dongue!

Qu'est-ce que c'est que ça? Laquelle des horloges? À 4 hres 40, plutôt aucune, à moins qu'ils ne s'amusent à les faire sonner n'importe quand. Non, ce doit être la porte. Un vendeur sans doute. « Merci, besoin de rien. » Je vais attendre qu'il parte, sans faire de bruit.

Dingue dongue!

Il a plutôt le genre « permettez-moi d'insister ».

J'entends une clé tourner dans la serrure. Donc ce n'est pas un vendeur. C'est le collectionneur qui revient. De quoi j'ai l'air... Je devrais peut-être aller me présenter à lui fort civilement et lui

Il s'approche.

Je ne sais pas s'il comprendrait quand je lui expliquerais que je suis bouddhiste et que j'ai atterri ici en me contemplant le nombril.

Attention le voici.

Mais c'est...

mais...

— « Anna! »

Table des matières

PRÉTEXTE 9

1. Ma douche et ta bouche 13
2. Lolavlam 24
3. Tirade des brosses 28
4. Leitmotiv 33
5. Une histoire pour Anna 35
6. Midi 38
7. Recette pour passer le temps 44
8. Vivre est une nécessité vitale 51
9. From London Angleterre 56
10. Leitmotiv 59
11. Dik-syo-nèr' 62
12. Mots commençant par An(n)a 69
13. Fragile 72
14. L'oie zivetée 75
15. Les nez et les vaches 81
16. Question angoissante 86
17. Dans deux mois dans deux ans 88

18. Unchauncha 94

19. Et ce jardin, Anna 95

20. Mini-lettres 101

21. Crac! 107

22. Delirium très mince 112

23. Digne digne dingue dongue 114

24. Digne digne dingue dongue — suite 118

25. Le désespoir après la tempête 124

26. Des petites salopes de ton espèce 132

27. Qu'est-ce que je raconte 136

28. Decrescendo 138

29. Afrique aller et retour 140

30. Funérailles 144

31. Dissertation: des causes de l'ennui et s'il est
guérissable 148

32. Dans mon nombril 154

33. Alea jacta est 159

POSTEXTE 165

Achevé d'imprimer à Montmagny
par les travailleurs des Éditions Marquis Ltée
en février 1981